W9-BYP-170

愛，就注定了一生的漂泊！

劉墉著

妳可能因恨而停止
但絕對因愛而漂泊
即使人不漂泊
心也將隨著妳的愛
漂泊
漂泊
漂泊
漂泊
……

【自序】

我疑惑那是面對生，抑或面對死的掙扎？
是爲了自己的繼續生存，而求生？
還是爲了下一代的不死，而拼死？

願每個漂泊者都不孤獨

一九八九，我四十歲的那年，生命突然有了極大的轉變——在兒子已經將進大學的時候，又添了個女兒。

妻臨盆前，許多朋友都警告我：「雖然醫院准許丈夫進入產房，但是爲你自己好，也爲了對太太保有一分神秘感，你千萬別去！」

但我還是去了。在聽見妻子哀號時，忍不住搶過一件消毒衣穿上，衝進產房。

於是，我經歷了終生難忘的一幕，看見妻子顫抖著、扭曲著，咬著牙，深深地吸氣，再用那口氣把臉孔擠成一團豬肝色。抓著她抖動而冰冷的雙手，在她每次換氣時深深的歎息中，我慌亂失措了，有一種茫然無助的感覺。我疑惑那是面對生，抑或面對死的掙扎？是爲了自己的繼續生存，而求生？還是爲了下一代的不死，而拼死？

產鉗左比不對，右比也搖頭，剪一刀不夠，再剪第二刀，血流成盆，淚流如雨，妻的臉色突然轉爲蒼白，就在此刻，傳來了一聲清脆的啼哭——我一生聽過最動人的聲音。

我把血淋淋的孩子接過，送到旁邊的小檯子上，幫著護士擠眼藥膏，眼皮滑溜溜地，撥不開，護士大喊：「用力撥！傷不著的！你看頭都擠成尖的，過幾天也就會恢復正常！生命如果不堅韌，怎麼有資格來到這個世界!?」

摟著那紫紅色的小東西，看她不停地嚎哭、掙扎，我突然對生命產生一種前所未有的感動：

「上帝創造的最偉大的東西，不是萬物、不是宇宙，而是愛！我十分不合邏輯，甚至執著地認爲，上帝在創造一切之前，先創造了母愛，上帝本身就是愛，這世界也就是由愛所凝結！」

確實的，隨著小女兒的成長，隨著自己不斷付出愛，身體裡好像有一個荒廢已久的愛的「水龍頭」，愈使用、愈通暢，源源不絕地傾瀉而出。

我的畫風變了！在過去的淒冷荒寒中，加入明亮的調子：洗衣歸來的女孩、雨中垂釣的少年、遍地的黃花、滿池的新綠，都成爲描繪的題材。

我的文風也變了，從過去的唯美派、田園派，發展出一種溫馨的筆觸。對社會的關懷提昇了，對親情的體察敏銳了，感情則變得更爲脆弱。過去對小孩不太注意的我，現在居然會去關懷每個見到的孩子，覺得他們個個可愛，哪個孩子不是在母親和他自己一番生死的掙扎之後，來到這個世界呢？

他們的額上都寫著愛！

我甚至對小小的種子，都懷有一分虔敬與尊重，它們不都代表著生命嗎？不也都是花朵們愛的結晶嗎？把它栽下去，它就代表著未來的無限——無限愛的綿延！

對父母的愛、子女的愛、植物的愛、昆蟲的愛、石頭的愛、山水的愛、故園的愛、全人類的愛，忽然之間，全被喚起。直到我秋天返台前整理舊稿，才驚訝居然在不自覺的情況下，完成了這許多愛的篇章。

書名「愛，就注定了一生的漂泊」，可以有多重的解釋。從被愛所創造，到這個世界來漂泊，乃至爲心愛的事業、心愛的人，而不斷追尋。

有多少父母年輕時爲了愛子女，希望他們能進入好學校、交到好朋友、吸到好空氣，而不停遷移？年老時又爲了捨不得子女，千里迢迢漂泊到地球的另一邊！

生命是什麼？

生命是愛，愛就注定了漂泊！

愛是絕對的，沒有尊卑大小和品質之分，即使小動物的愛，也當被尊重；即使最平凡的人，也能擁有偉大而無私的愛的胸懷，如同那位躺在路邊的浪人所呼喊的：

「你們愛自己的家，你們睡在家裡面！

我愛這個世界，我睡在世界的每個地方，你們都是我的家人，我愛你們！」

願我們的愛，都能如此無私地擴大、延伸下去！

願每個漂泊者都不孤獨！

劉墉

無私之愛

願每個漂泊者都不孤獨

目錄

【自序】

【深情】

劉墉◉目錄

【大地】

【問園】

【父母之愛】

於是：
我們乘著愛的船
渡過忘川之水
漂泊到這個世界
漂泊過愛的一生
又載滿捨不下的愛
漂泊到來世……。

深情八帖

渡過忘川

嬰兒爲什麼總是喜歡被搖呢？

美國的玩具店裡，有電動的嬰兒搖籃；愛斯基摩人的冰洞裡，有毛皮縫製的搖床；連去九族文化村，都在山胞的房子裡，看見籐子編成的搖籃。

是在母親的腹中孕育時，浮游於羊水，像是在水中搖盪，所以出生之後，『搖』能喚起胎兒的記憶？

抑或在我們的前生結束之後，必要渡過『生之川流』，飲過『忘川之水』，才能進入今生，所以那搖，能喚起川流的回憶？

那麼，當我們祝每一位孕婦順產時，也蹲下身，對那腹中的小寶寶，說聲『一帆風順』吧！

每一次，搖寶寶入睡，我都這麼幽幽地想……。

生之港

嬰兒入睡前，爲什麼總愛哭呢？

她哭著、喊著，甚至又踢又打，難道在那睡夢中會有惡魔出現嗎？

抑或她怕跌回渾渾渺渺的忘川，又被註生娘娘帶走了呢？

她必是有著以前的夢魘吧?!所以不願入睡，在疲睏的邊緣掙扎著，直到撐不下去。

然後，她就笑了！

再不然，先咧咧嘴，作個哭的表情，又嘴角一揚，笑了出來。

於是我猜，必是在忘川的邊緣，知道自己已經安抵『生之港』，不會再被遣送出境，而破啼爲笑吧？

每一次，看寶寶入睡，我都這麼幽幽地想……。

小小的船

向妳流去呵，向妳流去！
以這一彎清淺藍藍的夜空向妳流去！
今夜我是鷗、我是雁
我是來自南國的一條
小小的船！
載著椰子濤、榴槤香
還有一舷
海水的藍！
向妳流去呵！
向妳流去！

上到我小小的船

載妳去一個夢幻的城……

收拾東西，找到一首學生時代寫的情詩，其中的『妳』，該是個可愛的少女。而我則是那小小的船。

多麼羅曼蒂克，少男的情詩啊！

可是如今望著懷中的娃娃，又多麼地迷惑，覺得二十多年前的那首詩，竟是爲這初生的女兒寫的！

於是我的雙臂，變爲那隻小小的船，而女兒則成了小船的乘客。

每一次哄娃娃入睡，我都唱自己少年時寫的這首情詩，覺得很貼切、很溫馨……。

孩子多高了？

親戚打電話來，問我小女兒的身高，想了又想，我說：『我不知道吔！離開紐約三個月，小娃娃長得快，心裡沒個準了！』

掛上電話，忽然有一種莫名的落寞。倒不全爲了想女兒，而是又回到初抵美國的那一年。

一個中國餐館的大廚，送來整桌的菜，鞠躬又鞠躬地，勉強坐下來：

『對不起，早該來看您了。只爲住在醫院裡，出不來！』他用右手摸了摸左腕的繃帶：、『七年了！從跳船那時算起……。在餐館裡做了七年的炒鍋！鍋重啊，拿久了，手腕都壞掉了！』轉頭看見我桌上兒子的照片：『離開家時，我的孩子也就這麼大。前些日，給孩子寄了衣服去，太太寫信來，說太小了！怨我連孩子多高都不知道。快跟我一樣高了，居然還寄童裝回去……。』他沈默了一下，低頭深呼吸：『這邊餐館老闆跟律師勾結，我的居留還不知要等到哪一年呢！』

三個月跟七年比起來，算得了什麼？

我突然回到十三年前的那一刻，有了更深的落寞……

媽愛醜娃娃

自從外號叫『白玉娃娃』的孩子，定時被帶到小公園來，原本在那兒聚集的媽媽，和她們的小奶娃們，就突然不見了。

不是不見，只是大家都換了時間，避開跟白玉娃娃站在一塊兒。

『那孩子太漂亮了！眞像是白玉雕的。濃濃的眉毛，線條鮮明；下面一雙大得出奇，又只見黑，不見白，像灣深水的眼睛；翹翹的鼻子，小嘴旁且掛著兩個深深的酒渦！怎麼世上最美的全長到她一人身上去了呢?!我們娃娃兩隻眼睛，都不如她一隻大！』

每個媽媽心裡都這麼說。有時不小心遇到白玉娃娃，也止不住地誇讚。那是忍不住，自自然然，不得不讚嘆的。只是跟著便有些自慚形穢起來，連回家之後，都要對著自己的娃娃左看、右看、歎口氣：『爲什麼比人家的白玉娃娃差那麼遠？』

這種不平，大約持續了兩、三個月。突然媽媽們不再躲避了，她們甚至選定白玉娃娃出現的時間，抱著自己的寶寶去。

她們且故意靠著白玉娃娃坐著，看看白玉娃娃，又看看自己的孩子，然後手裡摟得更緊、親得更重、愛得更深：

『你雖比不上白玉娃娃，但媽媽疼你呀！媽媽愛你呀！你好偉大，讓媽媽愛！媽媽好偉大，一心愛自己的醜娃娃！』

愛得心慌

『自從有了小孩，我在巷子裡開車，就放慢了速度，總覺得可能會有幼童，從旁邊冷不防地跑出來，而那個幼童或許正是自己的孩子！』一個朋友歪著頭，像是喃喃地沈思：『可是我的孩子才八個月大啊！剛學爬，怎麼可能上街跑呢？我卻覺得滿街的孩子都變成她了，好多好多可愛的小東西，搖搖擺擺地走著！搖得我心好慌，所以，所以……』

所以了老半天，他突然臉色一正：『我不打算開車了！』

家要怎麼寫？

在東亞美術概論的課上，介紹中國文字，有個學生突然舉手：

『「太」字應該是「犬」字，有幾個人會把狗扛在肩上？當然是牽著走，所以點子應該在下面，不在上面！』

「犬」字應該是「寶寶」！』一個女學生說：『寶寶坐在肩上！』

『那麼「家」這個字也錯了，房子裡有「豕」不算家，那是農舍！』又有學生喊。

我有些火大，叫那學生到前面來：『你說家應該怎麼寫？』我指了指黑板。

『字！』她寫了好大的一個『字』：

『「字」才算是家，房裡有孩子，是家！』

烽燹中的小花

忠孝東路上大排長龍。雖坐在冷氣車裡，仍然讓外面飛揚的塵土、污染的空氣，熏得直要窒息。

突然看見一個年輕媽媽，抱著她一歲左右的娃娃，快步從車縫中跑過街。她的姿勢很美、脚步很輕，有點像是舞蹈，左斜、右斜，又轉個圓弧，一下子跳上街心的安全島。

那手中的娃娃高興得咯咯地笑了，媽媽也笑，好像母子正做凌霄飛車的遊戲似地。多麼天眞的娃娃啊！多麼洋溢著母愛的小媽媽啊！我卻突然禁不住地想哭：

憑什麼我們能擁有這樣美麗的母子？她們原本應該屬於青青的草地、悠然的街道和閒靜的巷弄啊！那孩子天眞的咯咯的笑聲，和年輕媽媽舞蹈般的步子，與這周遭的暴戾多麼不調和！

那孩子正吸進足以致病的含鉛廢氣，那媽媽正帶她穿過一群非但不知同情與禮讓，甚至像要吞噬她們的車海啊！

我看到一枝幽香的忍冬攀過荆棘，我看到一朵雛菊在烽燹中綻放！

【生命之愛】

從追求年輕的奔躍、
肉體的激情、
金錢的力量，
到僅僅是「活著」。

眞好

生命之愛

劉墉 ◉ 眞好

在大學主編校刊，見過許多同窗的好作品，內容都不記得了，唯有一篇文章的題目，始終未曾忘記——

『年輕，眞好！』

在報紙副刊的女作家小說專輯裡，看到一段動人的情節，倒不是其中對少女初歷人事，雲雨纏綿的描寫，而是那少女在激情時說的一句話：

『有身體，眞好！』

一家人到佛羅里達度假，坐在海洋世界的湖邊，看孩子擠在人群中跳草裙舞，陽光和煦、海鷗翩翩，妻笑著說：

『有錢，眞好！』

二十多年的老朋友，自從大前年在紐約見過一面，便一直聯繫不上，掛電話過去，也總是沒人應，最近突然接到信，行間不再是干雲的豪氣，卻滿是人生的哲理，尤其臨結尾的一句話，震人心弦：

『活著，眞好！』

從追求年輕的奔躍、肉體的激情、金錢的力量，到僅僅是『活著』。

這，就是生命的歷程吧！

【老年之愛】

當我們七老八十，
有一天晚上老頭子突然來了莫名其妙的興致，
伸手過去，
摸著老太婆乾癟而下垂的乳房，
老太婆一笑，露出了沒牙嘴……。

深長的愛

車子停在十字路口，一對老夫婦相互扶持地走過，總是愛開黃腔的司機老林，突然歪頭若有所感地笑著說：

「想想！當我們七老八十，有一天晚上老頭子突然來了莫名其妙的興致，伸手過去，摸著老太婆乾癟而下垂的乳房，老太婆一笑，露出了沒牙嘴……。」

不知道這是不是他開玩笑的話，只覺得有一種特殊的味道，並在心中自自然然地，勾出一對風燭殘年老人的輪廓。

這已是十三年前的事。老林早退休了，我也離開中視多年，但他的這段話，卻常常在腦海浮起。

多麼蘊藉溫馨的畫面哪！看來屬於色情的描述，卻顯得那麼純眞而感人。慾已經隨著年華的消逝而淡遠，情像是深藏的醇酒般，變得更耐人尋味。使我想起不知哪位詩人有過這樣的句子：

早已喝完的酒瓶

依舊藏在櫃子深處
偶然拿出來
砰地一聲，打開瓶蓋
嗯！啊啊……。
猶然是初戀時的芬芳啊！
便又悄悄蓋上
塞回櫃子的深處……。
何其悠遠、恬淡的愛！看似隨著年輕時豪飲而盡的一瓶酒，按緊了蓋子，放在心靈櫃子的深處，且在數十年後的某一個日子，偷偷地取出來……。
這，才是眞正的飲者！
這，才是深長的愛！

劉墉 ◉ 老年之愛 ◉ 深・長的愛

父親與童年的我。

【赤子之愛】

三十二年了，直到今天，
每當我被蚊子叮到，總會想到我那慈祥的父親，
聽到啪地一聲，
也清清晰晰地看見他手臂上被打死的蚊子，
和殷紅的血跡……。

父親的畫面

人生的旅途上，父親只陪我度過最初的九年，但在我幼小的記憶中，卻留下非常深刻的畫面，淸晰到即使在三十二年後的今天，父親的音容仍彷彿在眼前。我甚至覺得父親成爲我童年的代名詞，從他逝去，我就失去了天眞的童年。

最早最早，甚至可能是兩三歲的記憶中，父親是我的溜滑梯，每天下班才進門，就伸直雙腿，讓我一遍又一遍地爬上膝頭，再順著他的腿溜到地下。母親常怨父親寵壞了我，沒有一條西裝褲不被磨得起毛。

父親的懷抱也是可愛的遊樂場，尤其是寒冷的冬天，他常把我藏在皮襖寬大的兩襟之間，我記得很淸楚，那裡面有著銀白色的長毛，很軟，也很暖，尤其是他抱著我來回走動的時候，使我有一種居高臨下的優越感。我一生中眞正有『獨子』的感覺，就是在那個時候。

父親寵我，甚至有些溺愛。他總專誠到衡陽路爲我買純絲的汗衫，說這樣才不致傷到我幼嫩的肌膚。在我四、五歲的時候，突然不再生產這種絲質的內衣。當父親看著我初次穿上棉質的汗衫時，流露出一片心疼的目光，直問我扎不扎？當時我明明覺得非常舒服，卻因爲他的眼神，故意裝作有些不對勁的樣子。

母親一直到今天，還常說我小時候會裝，她只要輕輕打我一下，我就抽搐個不停，且裝作上不來氣的樣子，害得父親跟她大吵。

確實，小時候父親跟我是一國，這當中甚至連母親都沒有置身之處。我們父子常出去逛街，帶回一包又一包的玩具，且在離家半條街外下三輪車，免得母親說浪費。

傍晚時，父親更常把我抱上脚踏車前面架著的小籐椅，載我穿過昏黃的暮色和竹林，到螢橋附近的河邊釣魚，我們把電石燈掛在開滿薑花的水濱，隔些時在附近用網子一撈，就能捕得不少小蝦，再用這些小蝦當餌。

我最愛看那月光下，魚兒掙扎出水的畫面，閃閃如同白銀打成的魚兒，扭轉著、拍打著，激起一片水花，彷彿銀粟般飛射。

我也愛夜晚的魚鈴，在淡淡薑花的香氣中，隨著沁涼的晚風，輕輕叩響。那是風吹過長長的釣絲，加上粼粼水波震動，所發出的吟唱，似乎很近，又像是從遙遠的水面傳來。尤其當我躲在父親懷裡將睡未睡之際，那幽幽的魚鈴，是催眠的歌聲。

當然父親也是我枕邊故事的述說者，只是我從來不曾聽過完整的故事。一方面因爲我總是很快地入夢，一方面由於他的故事都是從隨手看過的武俠小說裡摘出的片段。也正因此，在我的童年記憶中，『踏雪無痕』和『浪裡白條』，比白雪公主的印象更深刻。

眞正的白雪公主，是從父親買的『兒童樂園』裡讀到的，那時候還不易買這種香港出版的圖畫書，但父親總會千方百計地弄到。尤其是當我獲得小學一年級演講比賽冠軍時，他高興地從國外買回一大箱立體書，每頁翻開都有許多小人和小動物站起來。雖然這些書隨著我十三歲時的一場火災燒了，我卻始終記得其中的畫面。甚至那塗色的方法，也影響了我學生時期的繪畫作品。

父親不擅畫，但是很會寫字，他常說些『指實掌虛』、『眼觀鼻、鼻觀心』這類的話，還買了成疊的描紅簿子，把著我的小手，一筆一筆地描。直到他逝世之後，有好長一段時間，每當我練毛筆字，都覺得有個父親的人影，站在我的身後……。

父親愛票戲，常拿著胡琴，坐在廊下自拉自唱，他最先教我一段蘇三起解，後來被母親說『什麼男不男、女不女的，怎麼教孩子尖聲尖氣學蘇三？』於是改教了大花臉，那詞我還記得清楚：

『老雖老，我的鬢髮老，上陣全憑馬和刀……。』

父親有我已經是四十多歲，但是一直到他五十一歲過世，頭上連一根白髮都沒有。他的照片至今仍掛在母親的床頭。八十二歲的老母，常仰著臉，盯著他的照片說：『怎麼愈看愈不對勁兒！那麼年輕，不像丈夫，倒像兒子了！』然後她便總是轉過身來對我說：『要不是你爸爸早死，只怕你也成不了氣候，不知被寵成了什麼樣子！』

是的，在我記憶中，不曾聽過父親的半句叱責，也從未見過他不悅的表情。尤其記得有一次蚊子叮他，父親明明發現了，卻一直等到蚊子吸足了血，才打。

母親說：『看到了還不打？哪兒有這樣的人？』

『等牠吸飽了，飛不動了，才打得到。』父親笑著說：『打到了，牠才不會再去叮我兒子！』

三十二年了，直到今天，每當我被蚊子叮到，總會想到我那慈祥的父親，聽到啪地一聲，也清清晰晰地看見他手臂上被打死的蚊子，和殷紅的血跡……。

【人群之愛】

我回家用肥皂不斷地洗身體，
甚至用刷子刷，希望把自己洗白些，
但洗下來的不是黑色，
是紅色，
是血！

別讓自己更孤獨

傍晚，我站在台北辦公大樓的門前，看見一輛公共汽車駛過，有個黑人正從後排的車窗向外張望，我突然興起一種感傷，想起多年前在紐約公車上見到的一幕：

一個黑人媽媽帶著不過四、五歲的小女兒上車，不用票的孩子自己跑到前排坐下，黑人媽媽叮鈴噹啷地丟下硬幣。但是，才往車裡走，就被司機喊住：

「喂！不要走，妳少給了一毛錢！」

黑人媽媽走回收費機，低頭數了半天，喃喃地說：「沒有錯啊！」

「是嗎？」司機重新瞄了一眼，揮揮手：「喔，沒有少，妳可以走了！」

令人驚心的事出現了，當黑人媽媽漲紅著臉，走向自己的小女兒時，突然狠狠出手，抽了小女孩一記耳光。

小女孩怔住了，摀住火辣辣的臉頰望著母親，露出惶恐無知的眼神，終於哇地一聲哭了出來。

「滾！滾到最後一排，忘了妳是黑人嗎？」媽媽厲聲地喊：「黑人只配坐後面！」

全車都安靜了，每個人，尤其是白人，卻覺得那一記耳光，是火辣辣地打在自己的臉上。

當天晚上，我把這個故事說給妻聽，她卻告訴我另一段感人的事：

一個黑人學生在入學申請書的自傳上寫著：「童年記憶中最清楚的，是我第一次去找白人孩子玩耍；我站在他們中間，對著他們笑，他們卻好像沒看見似的，從我身邊跑開。我受委屈地哭了，別的黑小孩，非但不安慰，反而過來嘲笑我：『不看看自己是什麼顏色』。我回家用肥皂不斷地洗身體，甚至用刷子刷，希望把自己洗白些，但洗下來的不是黑色，是紅色，是血！」

多麼怵目驚心的文字啊！使我幾乎覺得那鮮紅的血，就在眼前流動，也使我想起「湯姆歷險記」那部電影裡的一個畫面——

黑人小孩受傷了，白人孩子驚訝地說：「天哪！你的血居然也是紅的！」

這不是新鮮笑話，因為我們時時在鬧這種笑話，我們很自然地把人們分成不同等級，昧著良心認為自己高人一等，故意忽略大家同樣是「人」的本質！

最近有個朋友在淡水找到一棟他心目中最理想的房子，前面對著大片的綠地，後面有山坡，遠遠更能看到觀音山和淡海。但是，就在他要簽約的前一天，突然改變心意，原因是他知道離那棟房子不遠的地方，將要建國民住宅。他忿忿地說：

「你能容忍自己的孩子去跟未來那些平價國宅的孩子們玩耍嗎？買兩千萬元的房子，就要有兩千萬身價的鄰居！」

這也使我想起多年前跟朋友到阿里山旅行，坐火車到嘉義市，再叫計程車上山。車裡有四個座位，使我們不得不與一對陌生夫妻共乘。

途中他們認出了我，也就聊起來，從他們在鞋子工廠的辛苦工作，談到我在紐約的種種。下車後，我的朋友很不高興地說：「爲什麼跟這些小工說那麼多？有傷身分！」

實在講，他說這句話正有傷他自己的身分！因爲不懂得尊重別人的人，正顯示了他本身的無知，甚至自卑造成的自大。

我曾見過一位畫家在美國畫廊示範揮毫，當技驚全場，獲得熱烈掌聲之後，有人舉手：

「請問中國畫與日本畫的關係。」

「日本畫全學自中國，但是有骨沒肉，絲毫不含蓄，不值得一看！」

話沒完，觀衆已紛紛離席。

他竟不知道——

「彰顯自己，不必否定他人！

你可以不贊同，但不能全盤否定！」

否定別人的人，常不能有很好的人際關係，因爲他自己心裡有個樊籬，阻擋了別人，也阻礙了自己。

有位美國小學老師對我說：「當你發現低年級的孩子居然就有種族歧視的時候，找他的父母常沒用，因爲孩子懂什麼？他的歧視多半是從父母那裡學來的！只是，我操心這種孩子未來在社會上會變得孤獨！」

我回家告訴自己的孩子：

「如果你發現這個社會不公平，與其抱怨，不如自己努力，去創造一個公平的社會。所以當你發現白人歧視黃種人時，一方面要努力，以自己的能力證實黃種人絕不比白種人差，更要學會尊重其他人種！如果你自己也歧視黑種人、棕種人，又憑什麼要白種人不歧視你呢?!」

正因此，我對同去阿里山，和那位買淡水別墅的朋友說：

「我們多麼有幸，生活在這個沒有什麼明顯種族區別的國家，又何必要在自己的心裡劃分等級?!小小的台灣島，立在海洋之中，已經夠孤獨了，不要讓自己更孤獨吧！」

【純粹之愛】

絶對的愛，一生能得幾回？
能愛時，就以全部的生命去愛！
能被愛，就享受那完全燃燒的
一刻。

絶對的愛

唸大學的時候，有一位教授曾經神秘又帶著幾分得意地說：「你們要知道，今天看到的漂亮師母，是我的第二任太太。至於第一個嘛！是家裡在鄉下為我娶的，不識字的婆娘，沒什麼情感，所以一出來念書，就甩了！」

「那位師母現在怎樣了呢？」我不知趣地問。

教授一怔，偏過臉去：「在老家帶孩子吧！」

這一幕，至今仍清晰地常在我眼前浮現。倒不是為了教授十分不悅的反應，而是他所說的那段話。

我常想，是不是父母之命的婚姻，就都沒有情感？即或生了幾個孩子，生活許多年之後，仍像初入洞房時般地陌生？

我也常想，那媒妁之言成婚的夫妻，在一方亡故時，生者傷慟欲絕，難道都是面對舊禮教社會所作的表演，骨子裡是根本不愛的！

它讓我想起另一位教授講的故事：

「有一天我到老學生家做客，那男學生一個勁兒地抱怨夫妻感情不佳，說盡了老婆的不是。這時，從裡屋跑出一個大男孩。我問：『這是什麼人？』

『我的兒子！』學生答。接著繼續講自己從頭就不高興父母安排的婚事。這時裡面又跳出一個小女孩。

『這是我的女兒！』學生介紹：『長得很像那討厭的女人。』說著居然又爬出一個娃娃，看來不過八、九個月大。

『這是……』

『這是我剛添的小男孩！』學生再介紹，又回頭未完的抱怨：『我跟那女人，已經幾年不說話了！您知道嗎？她才初級識字班畢業呀！』」

於是，這又使我深思：是不是知識差的人，沒有資格談感情？一個文盲的愛情，絕對無法與學者的愛情相比？村婦的愛，更在層次上遠不及仕女的情？

愛，到底有沒有等級之分？是不是如同架子上的商品，因品質、產地、形式的不同，而有高級、低級的差異？

如果是，那麼甩掉一個無知的村婦，讓她去哭得死去活來，守一輩子的活寡，爲公婆服一生的勞役，再默默地凋萎、縮小、消逝，就是對的！

大家不都歌頌郎才女貌、珠聯璧合、學問財富門第相當的婚姻嗎？當小說中描述一個勳面的村婦自願成全傑出的丈夫，跟世家千金、貌美如花的小姐，到大城市裡結爲一對玉人的時候，讀者不都暗自爲他們高興嗎？

看！當樂聲悠揚，那一對新人滑入舞池，翩翩旋轉，如兩朵燦爛的蓮花，而四座高貴的賓客舉杯，爲他們祝福，該是多麼完美而令人興奮的結局？

這更讓我想起二十多年前看過的殘酷大世紀影片中拍攝的眞實片段，高級、進化的白種人，在非洲草叢，如同獵捕小動物般地，抓住矮小的黑人，一刀切下他的……，再塞入那小黑人的嘴裡……。

那小黑人是一種半人類，或者根本不是人類嘛！他們沒有文字，甚至沒有完整的語言，只是一種動物！所以獵殺他們，是不必有罪惡感的！

他也使我想起在「教會」這部影片中，當文明人聽見那「小動物」（野蠻人），居然能唱出優美的歌聲時，所露出的驚訝表情。

沒有受教育、不文明、不開化的人，是否不能稱之爲人，如同他們的愛，可以不被承認呢？

我有一個朋友，同時交了三位極親密的女友，當人們批評的時候，他說：

「你們知道愛是什麼嗎？愛就是自己，也就是自己的生命！這世上有什麼比自己的生命更寶貴的呢？

那麼，就用我的生命來解釋我的愛吧！

我雖然同時有三個戀人，但對她們每一個，都是百分之百的。當她們其中任何一人，失足滑到懸崖邊上，而去救的人，九成會被拉下去。我卻會毫不猶豫地過去救她。也可以說我願意爲她們每一個人，犧牲自己的生命。

如此說來，我的哪段愛，不能稱爲百分之百的愛？無可懷疑的愛？」

從他的這段話去思想，凡是能以自己全部的生命去愛的，都應該被承認，誰能講那是錯的呢？

如果說那位初級識字班的妻子、文盲的婦人、未開化的小黑鬼，都能爲他們所愛的人，犧牲自己的生命，我們能因爲他們的無知、未開化，而否定他們的愛嗎？

更深地推論下去，看到主人危難，毫不遲疑地撲身救援的義犬，在牠們心中，那簡簡單單思維中的「愛」，不也是百分之百，該被尊重的愛嗎？

「功烈有大小，死節無重輕！」這是千古不易的道理，正因此，我不認同孔子說的「微管仲，吾其被髮左衽矣。豈若匹夫匹婦之爲諒也，自經於溝瀆而莫之知也。」

一個人因愛主、愛國而捐出生命，那愛難道還要被分列等級嗎？

生命平等！生命都應被尊重！愛情平等！只要是愛，就應該被尊重！

有位女孩對我說：

「如果兩個男人都說百分之百愛我，但是一個雖然當時愛得死去活來，過不多久，就可能改變；另一個能維持長久，則後者是眞正的愛。」

又有兩位曾經一起殉情，後來卻分手的男女，各對我數說對方的不是，悔恨自己殉情時弄昏了頭，根本不是眞愛。

我對他們說：

「有些顏料可以維持較久的時間，有些則很快會褪色。但是當你用它的時候，如果它們都是百分之百，無可置疑的紅色，濃度和鮮麗度完全一樣，你能說由於其中一種未來比較容易變色，當時就不是紅嗎？

愛情就像色彩，他們是可能有基礎、材料的不同，有知識、種族的差異，有感性、理性的區分，甚至有所謂經得起、經不起考驗的顧慮。

但是，就愛本身而言，只要那愛的當時，是生死與之，以整個生命投入的，就是『絕對的愛』！」

尊重那絕對的愛吧！雖有的可能化爲輕煙、灰燼，但那燃燒的一刻，就是火啊！

絕對的愛，一生能得幾回？能愛時，就以你全部的生命去愛！能被愛，就享受那完全燃燒的一刻。

這世上，哪個顏色能永不褪色？

唯有畫的當時，百分之百地鮮麗！

於是，只要有絕對的愛，又豈在朝朝暮暮？又豈在短短長長？

【中年之愛】

今天，你心中的愛是一顆顆晶圓的葡萄；
那時，你心中的愛是一湛醇酒。
不必醉人，你早自醉！
不必傾訴，你已陶然！

陶然自醉

如果看到一幅漫畫，畫著十八、九歲的小伙子抱著嬰兒餵奶，給人的感覺多半是狼狽。但是如果畫著一個兩鬢已經飛霜的中年父親，抱著孩子餵奶，卻可能給人一種怡然的感受。是不是因爲年輕的父親，正該開展事業，難有閒暇照顧孩子，所以感覺得匆忙而狼狽？抑或因爲中年人事業多半已有所成，老來得子，便予人一種「有子萬事足」的感受呢？

實際觀察，年輕的父母確實不如中年初爲父母感覺得強烈，倒不一定是中年人久盼終於獲得，而是沒有那份優閒，心底也可能少一些「那種說不出的，不吐不快的愛！」

想想：二十歲，有些年輕人還要父母叮著加衣服呢！他們仍在企盼、接受上一代的愛，如何突然轉哺給下一代？當然，他們會深愛自己的孩子，但那份愛，多半屬於天性，而少有後天的感動。

對的，後天的感動！當你在人世浮沈，愛過、恨過、奉獻過、負情過、承受過，就如同吃了太多、飲得太過的人，再經一番風浪顚簸，心頭有著難抑的翻攪，是不吐不快的。

尤其當中年以後，感覺身體逐漸衰老，死亡的陰影遠遠出現，自己的親長又一一消逝的時候，因為對死亡的認知，愈肯定了生的價值。

抱著懷裡的小生命，你知道當他生龍活虎，自己已經衰老；自己看不到的未來、登不上的星球，那小生命都可能代表你去看、去經歷。

你也可能告訴自己，千萬要保養著，不可早逝，免得這個小生命失去依靠；或是喃喃地對孩子說：當有一天父母的行動遲緩，便要倚仗你有力的手了！

當然，你也可能知道，愈晚得來的孩子，與他在一起的時日便愈短。但是，你不會怨恨他回饋你的時間不多，反而更珍視你們的每一個日子。

年輕的朋友，請不要怪我講的與你目前感受不符。而請記取我的這　番話，到你的中年、老年去咀嚼！

今天，你心中的愛是一顆顆晶圓的葡萄；那時，你心中的愛是一湛醇酒。不必醉人，你早自醉；不必傾訴，你已陶然！

【慕之愛】

只是想，如果有一天那少女成了婦人，婦人佝僂了雙肩，
而那盞風燈依舊……。
只是想，如果有一天我隨著妳的風燈和長髮，
走進妳的小屋……

一盞風燈

黃昏時，妳總是掛一盞風燈。
在妳門前的樹上。
當我每晚馳車歸去，便見它在深藍的夜色中
搖盪……。
偶爾我會停下車，妳便飛也似地跑出來，羞怯地摘下燈，又踮著腳尖，一溜煙地奔回妳的小屋。
多半的時候，我只是匆匆馳車而過，便見小窗內的妳，微揚著手，彷彿招呼，又道一聲晚安。
於是每一次經過妳的燈前，我就加深一次矛盾。
黃葉飄零，淒風冷雨的秋夜，本是我急著回家的時刻，因爲我那賢慧的妻子，正在門前引頸盼望。只是輪子輾過潮濕的地面，竟是妳千聲的怨嘆。
細雪紛飛，滿眼銀白的冬夜，本是我急著回家的時刻，因爲我那白髮的母親，正生起一爐紅紅的炭火。只是雪花飛上車窗，竟然變成妳門前萬盞的風燈。

斜光朗朗，白晝特長的夏季，本是我急於回家的時刻，因爲我那初試步的幼女，正坐在草地上嬉戲。只是黃昏的天空，竟然是妳那盞風燈的擴大，從四面向我擁來。

於是我便一次又一次地停駐，看妳飛奔而出，摘下風燈，又輕盈地奔去。

或許那盞風燈是爲我而懸吧！

或許是爲每一個孤零零穿過這林間小路的人懸掛。

或許妳只是希望有個人能欣賞妳巧手做出的風燈。

這些事我都不想知道。

只是想，如果有一天那盞風燈不再懸掛，那扇小窗不再敞開，那少女不再飛身出來摘燈，那臉上的神采不再羞怯……。

只是想，如果有一天那少女成了婦人，婦人佝僂了雙肩，而那盞風燈依舊……。

只是想，如果有一天我隨著妳的風燈和長髮，走進妳的小屋……。

【風之愛】

……用她的身體，滾過一邊又一邊。

看著看著，竟覺得那像是人的胸腹之間，有脈搏、有呼吸、有生命。

許多風跑了過去

自從爲小女兒在院子裡裝了風車，風的模樣就更多了！

那是一個連著木偶的風車，風一吹，上面的白鬍子老公公便開始砍柴，風吹得愈急，風車轉得愈快，老公公也就忙得愈起勁。

於是原本充滿各種「樹聲」的後園，便加入了砍柴的聲音，當狂風吹過林子，颯颯一片如濤聲傳來，其間更多了一種較規則的節拍。

只是細細聽，又常讓人納悶。有時候群樹亂舞，不聞風車響，過一刻風車猛轉，後面的森林卻已悄然。

坐在院子裡寫稿，那感覺就愈強烈了！桌子與風車不過咫尺，此處有風，彼處無風；或桌上無風，風車狂轉，竟判若兩個世界。

漸漸領悟風不僅是一陣一陣，且分頭前進，成爲一縷一縷。每一縷風，各自爲政，也各自奔走，甚至各有各的面貌。

今早到曼哈頓去，過時代廣場時，佇立良久，因爲在一片新設的廣告牆上，我看到了風的眞切面貌。

廣告牆是以千萬片懸浮如魚鱗般的小亮晶片組成，隨著風吹，那晶片便高低起伏，反射出各種光彩。晶片非常敏感，想必輕如鴻毛，即使一絲風動，也留下痕跡。於是我看到了風的手，撫過一遍又一遍，且用她的身體，滾過一邊又一邊。看著看著，竟覺得那像是人的胸腹之間，有脈搏、有呼吸、有生命。

這一景象把我帶回兒時，解釋了當年的困惑。那時離家不遠就是稻田，當稻穗成實，在夕陽下遠遠看去，能幻化出千萬種金黃。

因爲陽光是斜的，每一波倒下去的稻穗，就跌入陰影之中，再度挺起時，又因爲承接陽光，而燦爛閃耀。當時在課本裡正讀到「千頃稻浪」，卻怎麼看也不覺得那稻如浪。因爲浪是一波一波、一紋一紋的，而眼前的稻浪，卻是迴旋變化，忽高忽低、忽左忽右，又霎時像有一支無形的筆，畫著一圈又一圈……。

直到今天，我終於能描摹出風的樣子，那是軟軟的、好像魂魄般似有形又無形的東西，有尾巴、有裙角、有掃帚、有長髮，且有著伸縮自如的纖纖十指。

「不是一陣風吹過！」我對小女兒說：

「聽！許多風跑了過去，有一個正在玩我們家的風車呢！」

【花之愛】

美若沒有幾分遺憾，
如何能有那千般的滋味!?

曇花

小時候，院角種了一棵曇花，幾乎從來不曾刻意去照顧，只有母親偶爾放幾個剩下的蛋殼在四周，到了七、八月間，卻能一開就是十餘朵。

起初的幾年，家人倒還打亮了燈，過去欣賞，後來只覺得院子裡有些幽香傳來，想是曇花又開了，第二天便見一朵朵凋垂的花，冷冷地掛在枝頭。

曇花不像小小的茉莉，可以插在髮上、襟上，帶來一日的馥郁；也不像含笑或玉蘭，愈是豔陽天，愈香得醉人。

她只是偷偷地從葉間探出，以不過七、八天的時間，長大到原先花芽的千百倍，再找一個不知名的夜晚，也或許是淒風苦雨的時刻，忍不住地綻現。

就只是一瞬啊！在那人聲、車聲、鳥聲，都已消斂的夜晚；在那無蜂、無蝶、暗暗陰陰的一角，以她對夜的堅持，偷偷開展薄如白紗的花瓣。

是什麼力量，使她長長如喇叭的花柄，能向上彎轉揚起，支撐這一朵如玉之花？是什麼力量，使那纖纖剔透的花瓣，能向後深深地開展，露出裡面上百的蕊絲與花藥？又是什麼原因，使她在不過兩、三小時之後，再幽幽地闔攏，緩緩地垂頭？

這世上許多花，開了便是開了，凋落時也是以一種開放的姿態。譬如那高大的木棉、幽香的緬梔。更有許多凋零便是凋零，一片片卸下自己的妝扮，零落如一季花雨的櫻、梅與桃花。

這世上也有些花在白日綻開，夜晚收攏，次日還能再度綻放，像是如杯的鬱金與亭亭的菡萏。

香幽的誘人，甜美的招蜂、艷麗的引蝶。哪一朵花不是爲播散自己的愛戀，傳遞自己的情愫，或展示自己的美麗而綻放？

只有曇花，如此執著地，有如Obsession著魔地，選擇孤獨、寧靜的夏夜，綻放出這世間難覓的瑩潔之花。

或許正因爲瑩潔如玉吧！使她無法忍受那白日的喧鬧；也或許因爲她的嬌弱，使她竟受不得注目；更或許因爲她的過度完美，使她必要如流星般隕落！

否則，如何有傷逝的感懷？淡遠的餘情？

美若沒有幾分遺憾，如何能有那千般的滋味？

◉

在植物書上查到，曇花原產於中美洲的森林，方知她本不是塵市間的俗物，而當做深林中的隱士，於是我以密密的林木、熱帶的芋頭類和攀爬的常春藤，還有那朦朧之月，作成這張畫。

畫題『夜之華』，也可做『夜之花』，只是覺得曇已美得不能以花名之，所以用『華』，那是夜的精華，也是夜的光華！

夜之華(曇花)・劉墉作・(180×120cm)1989

【花之愛】

突然有一閃白光，從薑花叢中騰升而起，
翩躚如一位白衣仙子、
水的精靈、花的化身、
瞬時穿過那團月暈，
消失在千頃煙波之間……。

野薑花

野薑花，只聽那『薑』字，就給人一種冷冷的感覺，又彷彿喝ginger ale，甜美中帶著一丁點兒的『辛』香。至於加上個『野』字，就更有味了，那無拘無束，在山溪水濱一片搖曳的長葉白花，便幽幽地在記憶中搖擺了起來。

我愛薑花，如同我愛童年，薑花就是我童年的化身，我的童年也如同薑花。

小時候，常到家附近的溪邊撈小魚，我總是一手捧著竹製的畚箕，一手撥開叢叢的薑花，行至膝深處，再緩緩將畚箕浸入溪水。

小河裡偶有水蛇出現，色彩斑爛地成群順流而下，每次守望的一叫，溪裡的孩子就拉著薑花往回跑。薑花的莖很結實，根又扎得深，所以抓著薑花，就像抓著繩子，連漲水也不用怕了。

撈到小魚之後，我們常坐在岸邊，抽薑花葉鞘的纖維，把魚串起來。魚腥，而薑花的葉子正能去腥，有時回家洗手之後，魚腥沒了，倒還覺得留下一抹淡淡薑花的辛香。

最愛在夕陽消逝，將夜未夜，晚天泛上一抹深藍的時候看薑花，每一朵花都變得無比亮麗，彷彿能從水邊跳出來似的。

最愛在月夜看薑花，那光滑勁直的葉片，在月光的照射下成為了銀白色，如同出鞘之劍，高舉著歡呼。

最愛在風中、雨中欣賞薑花，寬大的葉片，點滴淒清，且搖曳摩挲著，發出絮語。更有那冷冷的幽香，似有似無地在水邊飄遊，突然吸到，心頭一震，隨之一醉！

成年之後，就少接觸薑花，有一回到鄉下去，看見溪邊的薑花，便停車與朋友下去採，結果我滿載而歸，對方卻敗興而返。

看他羞得臉紅，我笑說：

『這不能怪你，因為你不熟悉薑花，徒手搏鬥，當然折不斷她那強韌的莖。而我先在路邊撿了一塊銳利的小石片，用割的方法，所以能帶回整把的薑花。不過你如何跟我比呢？我是在薑花叢中長大的啊！』

至於近年印象中最美的薑花，要算是一次大溪之行所見到的了。由於花店裡買的，總被剪得只剩一兩片葉子，而不適合寫生。當我從角板山回台北，路過大溪的一處河邊，看到成片的薑花時，雖然夜色已濃，仍冒險走向水邊。

沁心的幽香啊！不知因爲薑花如同晚香玉，屬於夜裡特別芬芳的花種，抑或清涼的晚風，最宜於凝聚薑花的冷香。我如童年般涉入溪水，搖曳的花影，使我覺得像是遊走於兒時的夢境。一輪銀月，則透過晚嵐，灑下柔柔的光暈，彷彿一張銀網，撒入溪中，激盪起萬點輕波。突然有一閃白光，從薑花叢中騰升而起，翩躚如一位白衣的仙子、水的精靈、花的化身，瞬時穿過那團月暈，消失在千頃煙波之間。

於是我以勾勒法畫了那片水邊的薑花，淡淡地加上幾抹水綠，表現反射著月光的花葉，又以噴霧遮掩的技巧，製造一片夜色和朦朧的月暈。至於那凌波的仙子—白鷺，則以淡墨表現一襲白羽，逆光看來的瑩潔與透明，且讓她幽幽地翳入遠天……。

夜之華（薑花）・劉墉作・（198×57cm）1988

【花之愛】

依依戀戀地這邊送情人上了車，
跟著飛奔另一位情人，
且到達時不能露出一絲香、
一滴汗，
否則便不是翩翩佳公子的灑脫！

群花有約

這幾天被花忙煞！花之忙人，大概一是種花人爲花辛勤，一是賞花人目不暇給。至於我，則屬於少有的第三者——爲畫花而忙。

杜甫有詩：「眼見客愁愁不醒，無賴春色到江亭，即遣花開深造次，便教鶯語太丁寧。」其中用「無賴」形容春色，又以「造次」比喻花開，眞是對極了！大概冬天忍得太久，春天一暖，花便爭發，鳶尾、芍藥、紫藤、薔薇，幾乎一夜之間，全開了。使我這個既愛賞花，又喜歡畫花的人，頓時亂了方寸。

畫花的人，最能惜陰，今日花開、明日花開，你因爲忙而不畫，難保後天沒有一陣狂風驟雨，瞬間謝了春紅。古人說「若待皆無事，應難更有花」，就是這個道理！

因此，不論手頭的事有多忙，花一開，便不得不擱下來，拿著寫生本，一花接一花跑，倒像是忙碌的政客，應付許多應酬。

以政治應酬來比喻畫花，眞是煞風景，畫花本是風流事，要得閒散飄逸的趣味，一沾上忙碌二字，就落得俗了。

趕赴群花之約，功夫就在這兒。儘管在一花與一花之間奔勞，既然來到花前，便要氣定神閒，邁著方步，左看看、右探探，一會兒俯視，一下子蹲在地上仰覷，只有這樣才能找到最美的角度。然後坐定，更是徐徐展紙，先看位置、佈局，然後才能落墨。否則左邊花起高了，右邊的花，就出了畫紙之外，如何在小小寫生冊中，容得群芳，而且各見姿態，最是學問。

所以我常比喻赴群花之約，像同時交許多女朋友，得早早算好各人的時間，排定約會順序，而且地點相距恰當，於是一約扣著一約，依依戀戀地這邊送情人上了車，跟著飛奔另外一位情人，且到達時不能露出一絲香、一滴汗，否則便不是翩翩佳公子的瀟脫！

眼看天氣要變，怕明早盛開的芍藥全低了頭，十點多仍然拿著手電筒，到院子裡剪了幾枝，插在瓶裡，打算熬夜畫了，紙才攤開，卻見妻睡眼惺忪地下樓：「夢裡，突然被一陣花香薰醒，才發現你樓上的曇花開了！」

「才五月！雪沒過去多久，就開曇花？」我衝上樓，果然滿室馨香，那朵偷偷綻放的曇花，開得比秋天還大。

「曇花最不等人，只好放下芍藥，先畫曇花了！」

我教兒子把曇花盆推到屋子中央，架起燈光，比了又比，既恐不夠亮，又怕直射的強光傷了嬌客，再搬來一隻紙箱當桌子，把寫生冊和工具全移上樓，那花朵已經由初綻，逐漸開滿。尤其糟糕的是，當我由花的一側起筆，畫到另一側，花瓣已經轉換了斜度。

繞著垂在中間的曇花，趁著盛放，從不同的角度寫生，手心冒汗、脚底也冒汗，更惦著樓下一瓶芍藥，門前一叢鳶尾、簷前一片紫藤，竟覺得自命風流的唐伯虎，有些登徒子的狼狽起來……。

曇花 • 劉墉作 • (45×60cm)1990

【花之愛】

這小妖怪，
只要澆水，
就會慢慢長大……。

被尊重的生命

兒子的同學送他一個耶誕禮。迷你的紅色水桶裡，坐著毛絨絨的玩偶，上面戴著一頂白色的小帽子，露出兩隻圓圓的大眼睛，水桶邊上紮著一朵粉色的蝴蝶結，還插著朱紅的耶誕果和青綠的葉子，放在書桌一角，眞是漂亮的擺飾。

直到有一天……。

我看到孩子居然往玩偶的四周澆水，過去責怪，才發現那毛絨絨戴著帽子的小東西，居然是活的！

「這小妖怪，只要澆水，就會慢慢長大！」孩子說：「因爲它是一棵小小的仙人掌！」

可不是嗎！在看來毛絨絨的小刺間，透出淡淡的嫩綠，那兩隻塑膠的眼睛和帽子，是用強力膠黏上去的，小水桶裡面，則裝滿粗粗的砂礫。

自從知道那是一棵活的仙人掌之後，每次經過孩子的門口，就自然會看到它，而每一觸目，總有些驚心，彷彿被上面的芒刺扎到一般。

那桶中的砂礫經過化學材料調配，堅硬得像是水泥，仙人掌則被牢牢地鎖在其中。它不可能長大，因爲扎根的環境不允許。它也不可能被移植，因爲連皮帶肉都被緊緊地黏住，它確實是個生命，一個不被認作是生命的生命，向沒有未來的未來，苟且地活著。

小時候，大人曾說熊孩子的故事給我聽，走江湖賣藝的壞人，把騙來的孩子，滿身用粗毛刷刷得流血，再披上剛剝下的血淋淋的熊皮，從此，孩子就變成熊人，觀衆只以爲那是個特別聰明的熊，卻沒想到裡面，有個應該是天眞無邪又美麗的孩子。

今年又聽到一個故事：養雞場在雞蛋孵化之後，立即將公雞、母雞分成兩組，除了少數幾隻留種之外，公雞全被丟進絞肉機，做成肉鬆，並拌在飼料裡餵母雞，所以那些母雞是吃她兄弟的肉長大的。

「那根本不是生命，而是工業產物，所以不能以一般生命來對待。何況那些小母雞，到頭來還是死，也就無所謂誰吃誰了！」說故事的人解說。

這許多命運不都是由人們所創造的嗎？既創造了它們被生的命，又創造它們被處死的命，且安排了它們自相殘殺的命。

問題是，如果我們隨便從那成千上萬待宰的小雛雞中提出一隻，放在青青的草地餵養，也必然可以想見，會有一隻可愛的、能跟著主人跑的活潑的小公雞出現，且在某一個清晨，振動著小翅膀，發出牠的第一聲晨鳴。

許多國家都有法律規定，不能倒提雞鴨、不能虐待小動物，人們可以為食用，或為控制過度繁衍而殺生，但對「生命」卻要尊重。

可以剝奪，不能侮辱！

如此說來，那小小的仙人掌，是否也應該有被尊重的生命？

【花之愛】

那許許多多的生機，都是預先藏在裡面的，
如同存款，
到了該綻放或發芽的時候，
就從銀行裡被提出來用……。

深藏的春天

每年三月初，在紐約的九十二號碼頭大廳，都會舉行盛大的花展。參展的團體，莫不費盡心思，佈置出風格獨特的花園。於是走入大廳，就如同走進一片自然公園，不但是花團錦簇，而且有小橋、流水、亭台、雕塑穿插其間。讓人直覺得由外面的隆冬，一下子跨入了仲春。

可不是嗎？紐約的三月初，還是冰封雪凍的時節，泥土地硬得像鐵板，樹枝脆得如朽木，所有的生機，都還深藏未露呢！那麼這些花匠園丁，又怎能移來滿室的春天？難道是由溫暖的南方運上來？

答案不全對，原來多數的花，只是花匠們早些把禿枝插入溫水，放在室內養著，或將各種鱗球，提早種入溫室的泥土，就把春天提前了一個月。

起初我不信，直到親自從園中剪了幾枝連翹，放在屋裡養著，果然開出滿莖的黃花，才不能不接受這個事實。於是，我更想：到底從什麼時候，這禿枝開始蘊藏花信？難道我在冬天才落葉時，就把枝子剪進來，也能有繁花綻放嗎？

自從有了這個疑問，每次踏雪歸來，我就仔細觀察路邊的花樹，漸漸發覺，凡是早春開的花，譬如山茱萸、木筆，竟然從孟冬就已經舉起一個個花芽，她們或用鱗皮護著，或蓋著厚厚的絨毛，如同一群等待出場跳舞的小朋友，在後台興奮地站著。

有一位植物學家更對我說：你注意看！法國梧桐的葉子，是被藏在枝裡的另一個葉芽頂掉的，雖然那片葉子下一年春天才會冒出來。

「如此說來，不像是小孩子換牙，下面的成齒頂掉乳齒嗎？」我說。

「對！可是不止頂一次，那許許多多的生機，都是預先藏在裡面的，如同存款，到了該綻放或發芽的時候，就從銀行裡被提出來用！」

我想這大地就是銀行吧！藏著無盡的生機，源源不絕地展現出來。而如同植物在冰雪中已經包藏春意般，人們必然在最消沈困頓的時刻，也有那天賜突破的力量，在裡面醞釀著。

只要時機一到！或是時機雖未到，我們卻給他幾分溫暖的助力時，就一下子——寒冬盡去，滿園春色！

【兄弟之愛】

He ain't heavy, Father……
he's m' brother!

他不重，神父！
他是我的兄弟！

他是我的

男童收容中心贈送的耶誕郵票。

幾乎每天都會收到慈善機構募款的信件，有基督教兒童基金、傷殘退伍軍人協會、盲人組織、口足藝術家、保護野生動物、心臟病變研究……。他們或贈彩劵、或送月曆、或附小書、或夾空白賀卡、或寄成棵的小樹和種子，甚至施出苦肉計——將回郵現款一併寄來，表示你如果不捐錢，就等於吃了慈善機構的錢。

今天在衆多這類的郵件中，我發現了一個新面孔：

天主教男童收容中心。

除了一封信和回郵信封之外，並附贈了許多郵祟式的貼箋，上面印著耶誕快樂的賀詞，想必是供人們在寄卡片時封信口之用。

但這貼箋眞正吸引我的，是上面的圖畫。畫著一個十二、三歲的大男孩，背著一個比他稍小的，彷彿受傷或重病的男孩子，站在雪地中。旁邊印著兩行小字：『He ain't heavy, Father...he's m' brother!』譯成中文則是：『他不重，神父！他是我的兄弟！』

這是一句多麼奇怪的話啊！看那個男孩背著跟他差不了多少的兄弟，怎麼可能不感覺重？更何況走過鬆軟而冰冷的雪地！

那是多麼不合文法與邏輯的話！兄弟和重量有什麼關係呢？

但那又是多麼有道理的一句話，令人無可置疑地接受。

只爲了他是『我的兄弟』，所以我不覺得重！

他使我想起有一次看見鄰居小女孩，抱著一隻渾身稀泥的小狗，弄得滿身滿臉都是泥漿，我問她：

『妳不覺得牠太髒了嗎？』

『什麼？』小女孩瞪著眼睛尖聲叫了起來：『牠是我的狗！』

又讓我想到在教育電視頻道上，看過的一個有蒙古痴呆症孩子的家庭紀錄片，那個孩子已經四十多歲，智力卻停留在兩、三歲的階段，白髮的雙親，自己已經走不穩，每天早上仍然牽著孩子的手，送他上特殊學校的交通車，還頻頻向學校打聽孩子的表現。

片子結尾，白髮的母親傷心落淚：『只是不知道我們二老死了之後，他要怎麼活下去……。』

而當記者問她後不後悔養下這麼一個癡呆兒，誤了自己半生的幸福時，那母親居然毫不猶豫地抬起淚臉：

『我不覺得苦！他是我的孩子！』

他是我的！他是我的！他是我的！他們都沒有說出下面那個最重要的字——『愛』！

卻比千言萬語更能打動我們的心。

【盲者之愛】

雖然蒙著雙眼，一片漆黑，
但你的脚步才上病房的樓梯，
我就看見了你，
看見你跨著大步走過來……。

另一種光明

每次裝卸彩色底片，都得等到天黑後，先把窗帘拉上，熄滅全屋的燈，再堵起門縫，因爲只有這樣，才能籠罩在全然黑暗之中，不被一點光線干擾。

什麼是眞正的黑暗呢？有人說伸手不見五指非常黑，可是在裝底片時，那種黑還是不夠，必須黑到把一張白紙拿在眼前晃動，都毫無感覺才算。

所以每次裝底片，我都把自己擺在這「絕對黑暗」之中。

我總是窸窸窣窣打開底片盒，撕破鋁箔袋，再拉開片夾，把底片一張張插進去。

那實在不是件容易的事，因爲片夾只有窄窄一條縫，中間具有兩道槽溝，單張的大底片，必須準確地插在下面一道槽溝中。

起初我的眼睛是如同在光明中做事一般，盯著雙手，雖然什麼也見不到，卻希望多少有些幫助。問題是，這作法使我愈無法摸得準。

似乎「盲目」的雙眼，總想看到一些東西。在極力「看」之下，手上的感覺便有限了。

漸漸地，我發覺仰著臉，完全不去「看」，而讓全部注意力集中在手上，反倒能工作得順利。也可以說，眼睛既然已經不管用，就完全放棄吧！掌握那留下來的，仍然可用的官能去面對問題。

於是我的手彷彿有了視覺，敏銳得不但能摸出槽溝，甚至連底片的正反面，也能以觸感摸出其間的不同。

這經驗使我想起，在美國電梯中，每次看見盲人點字的樓層標示，試著去觸摸，只覺手指下一堆凸起的點子，每個數字的感覺都差不多，眞奇怪爲什麼盲人一摸就能知道？

現在我了解，因爲他們放棄「看」的想法，便加強了觸感；上帝使他們能用手去「看」，這個世界就在另一方面變得充實了。

曾在電視上看見一位盲人接受訪問，盲人說：「我常做夢，夢境都是有色彩的。雖然我從生下來就盲，我卻知道什麼是彩色，我覺得好美、好耀眼！」

這更使我深一層思索，並懷疑盲人的黑暗世界，並非眞正的黑暗。

以前常在賣外銷畫的商店，看見那種畫在黑絨布上的美女。絨布好黑好黑，畫家就用那種黑絨爲底，以亮麗的油彩，表現出光潔的肌膚與閃亮的秀髮。

會不會盲人也是在黑色的畫布上，用想像畫出他們多彩多姿的世界？正常人看東西，如同在白色的背景上加添，盲人「看東西」，是否就從黑色的背景中提起？

這也使我想到妻眼睛開刀時說的話：「雖然蒙著雙眼，一片漆黑，但你的脚步才上病房的樓梯，我就『看見』了你，看見你跨著大步走過來。」

她是用敏銳的聽覺，在她黑暗的畫布上，畫出了我的形象啊！

於是我想，當盲者聽到蟲鳴、鳥囀、竹韻、松濤時，或許也都用「聽」，來塑造他們「看」到的東西。

最近讀潘朝森的畫集，底頁上印著：由於童年時突然患了眼疾，醫生爲我擦上藥膏，蒙上雙眼，躺在床上足足兩年。在黑暗的日子裡，不忘記起伏明滅的幻想，心靈早已習慣於孤獨與寂寞……。

據說這段經驗，對他後來作畫有很大的影響。那經驗或許也就是他在黑暗的畫布上，起伏明滅的想像吧！

問題是，不論我妻，或潘朝森，他們在黑暗中的想像，都是以「曾見過的東西」爲經驗，對於眞正自始就失明的人，那想像會不會失色呢？

有一天，我分別問兩位盲者，如果上帝能給你一秒鐘，讓你看到這世界，卻又讓你重回黑暗，你覺得如何？

其中一位興奮地說：「當然好，因爲畢竟我有機會看到眞正的世界！」

另一位則平淡地講：「如果看完之後，我還得回到黑暗，就算了吧！我寧願滿意地待在現有的世界，也不要接受那瞬間光明帶來的衝擊，以後反而更難平靜了！」

多麼讓人悸動的想法，若非得到永恆的光明，他竟寧可留在黑暗之中。

但，什麼是永恆的光明？

明眼的人可能會瞎，畢生光明的人也將走向死亡，哪個墳墓會是光明的呢？

某日遇到一位在盲人中心工作的朋友，我說：「你們可以使盲人重見光明嗎？爲什麼盲人收容所反而稱作Light Home呢？」

「你錯了，誰說盲人世界沒有光？盲人只怕比我們有更多的光！你看過『盲女驚魂記』那部電影嗎？在黑暗中我們沒有了光，盲人還是有光的！」朋友說，「所以Light Home是要給盲人一個家，在這個家中充滿光明——內心的光明！裡面的光，上帝的光，要比外面的光更重要啊！」

因此，每次我坐在「絕對黑暗」的房裡裝底片，都會想：

這裡眞的很黑嗎？

抑或所有的黑暗，都可能迎向另一種光明？

【漂泊之愛】

你們愛自己的家，你們睡在家裡面！
我愛這個世界，我睡在世界的每個地方，
你們都是我的家人，我愛你們！

愛，就注定了一生的漂泊！

飛機起飛了兩個多鐘頭，心裡始終不踏實，覺得好像遺忘了什麼，看見有乘客拿出一卷長長的東西，才想起爲紐約朋友裱好的畫，竟然留在了台北。

便再也無法安穩，躺在椅子上，思前想後地怨自己粗心，爲什麼臨行連臥室也沒多看一眼，好大一卷畫就放在床上啊！想著想著，竟有一種叫飛機回頭的衝動，渾身冒出汗來，思緒是更亂了。

其實一卷畫算什麼呢？朋友並非急著要，隔不多久又會回國，再拿也不遲，就算眞急，常有人來往台美之間，託帶一下，或用快遞郵寄也成啊！但是，就莫名地有一種失落感，或不只因那卷畫，而是失落了一種感覺。

從台北登車，這失落感便濃濃地罩著。行李多，一輛車不夠，還另外租了一部，且找來兩個學生幫著提，免得傷到自己已經困擾多時的坐骨神經。看著一包一包的行李，有小而死沈的書箱，長而厚重的宣紙，裝了洪瑞麟油畫和自己冊頁的皮箱，一件件地運進去，又提起滿是攝影鏡頭和文件的手提箱，沒想到還是遺忘了東西。

什麼叫做遺忘呢？兩地都是家，如同由這棟房子提些東西到另一棟房子，又從另一戶取些回這一戶。都是自己的東西，不曾短少過半樣，又何所謂失落？遺忘？

居然行李一年比一年多，想想眞傻，像是自己找事忙的小孩子，就那麼點東西，卻忙不迭地搬過來搬過去，或許在他們的心中，生活就是不斷地轉移、不斷地改變吧！

當然跟初回台的幾年比，我這行李的內容是大不相同了。以前總是以衣服爲主，穿來穿去就那幾套，漸漸想通了，何不在兩地各置幾件，一地穿一地的，不必運來運去。從前回台，少不得帶美國的洗髮精、咖啡、罐頭，以饗親友，突然間國內的商店全鋪滿舶來品，這些沈重的東西便也免了。

取而代之的，是自己的寫生冊、收藏品和圖書，像是今年在黃山、蘇州、杭州的寫生，少說也有七、八冊，原想只挑些精品到紐約，卻一件也捨不下。書攤上訂的資治通鑑全套、店裡買的米蘭昆德拉、李可染專輯、兩千年大趨勢，甚至自己寫專欄的許多雜誌，都捨不得不帶。

算算這番回紐約，再長也待不過四個月，能看得了幾本資治通鑑？翻得了幾冊寫生稿？放得了多少幻燈片？欣賞得了幾幅收藏？便又要整裝返國，卻無法制止自己不把那沈重的東西，一件件地往箱裡塞。

據說有些人在精神沮喪時，會不斷地吃零嘴、或不停地買東西，用外來的增加，充實空虛的內在，難道我這行前的狂亂，也是源於心靈的失落？

不是說過這樣的話嗎：

「揮一揮衣袖，不帶走一片雲彩。其實東半球有東半球的雲，西半球有西半球的彩，又何須帶來帶去!?」

但畢竟還是無法如此豁達，也便總是拖雲帶彩地來來去去。

所以羨慕那些遷徙的候鳥，振振翼，什麼也不帶，頂多只是哀唳幾聲，便揚揚而去。待北國春暖，又振振翼，再哀唳幾聲，飛上歸途。

歸途？征途？我已經弄不清了！如同每次歸國與返美之間，到底何者是來？何者是往？

也早已變得模糊。或許在鴻雁的心底也是如此吧！只是南來北往地，竟失去了自己的故鄉！

眞愛王鼎鈞先生的那句話——

「故鄉是什麼？所有故鄉都是從異鄉演變而來，故鄉是祖先流浪的最後一站。」

多麼淒愴，又多麼豁達啊！只是淒愴之後的豁達，會不會竟是無情!?但若那無情，是能在無處用情、無所用情、用情於無，豈非近於「無用之用」的境界!?

至少，我相信候鳥們是沒有這樣境界的，所以牠們的故鄉，不是北國，就是南鄉！當牠們留在北方的時候，南邊是故鄉；當牠們到南邊，北方又成爲祖先流浪的最後一站。

我也沒有這番無所用情的境界，正因此而東西漂泊，且帶著許多有形的包袱、無形的心情！

曾見一個孩子，站在機場的活動履帶上說：「我沒有走，是它在走！」

也曾聽一位定期來往於台港，兩地都有家的老人說：「我沒有覺得自己在旅行，旅行的是這個世界。」

這使我想起張大千先生在世時，有一次到他家，看見親友、弟子、訪客、家僕，一群又一群的人，在四周穿梭，老人端坐其間，居然有敬亭山之姿。

於是那忙亂，就都與他無關了。老人似乎說：這裡許多人，都因我而動，也因我而生活，我如果自己亂了方寸，甚或是對此多用些心情，對彼少幾分關照，只怕反要產生不平，於是什麼都這樣來這樣去吧！我自有我在，也自有我不在！

這不也是動靜之間的另一種感悟嗎？令人想起前赤壁賦中「蓋將自其變者而觀之，則天地曾不能以一瞬；自其不變者而觀之，則物與我皆無盡也。」蘇軾不也在動亂須臾的人生中，為自己找到一分「安心」的哲理嗎？

但我還是接近於陳子昂的「前不見古人，後不見來者，念天地之悠悠，獨愴然而泣下」。也便因此被這世間的俗相所牽引，而難得安寧。

看到街上奔馳的車子，我會爲孩子們擔心。看見空氣污染的城市，我會爲人們傷懷。甚至看見一大群孩子從校門裡衝出來時，也會爲他們茫茫的未來感到憂心。而當我走進燦爛光華佈滿各色鮮花的花展時，竟爲那插在瓶裡的花朵神傷。因爲我在每一朵盛放，如嬌羞少女般的花朵下，看到了她被切斷的莖，正淌著鮮血。

而在台北放洗澡水時，我竟然聽見紐約幼女的哭聲。

這便是不能忘情，卻又牽情太多、涉世太深的痛苦吧！多情的人，若能不涉世，便無所牽掛。只是無所牽掛的人，又如何稱得上多情？

臨行，一個初識的女孩寫了首詩送我，我說以後再看吧！馬上就要登機了，不論我看了之後有牽掛，或妳讓我看了之後有所牽掛，對我這個已經牽掛太多的人來說，都不好！

只是那不見、不看、不讀，何嘗不是一種牽掛!?

猛然想起，有一次在地鐵車站，看見一個衣衫襤褸，躺在牆角的浪人，大聲對每個走過眼前的人喊著：

「你們愛自己的家，你們睡在家裡面！

我愛這個世界，我睡在世界的每個地方。你們都是我的家人，我愛你們！」

也便憶起前年帶老母回北平，盤桓兩週，疲憊地坐在返台飛機上，我說：「回家了！好高興！」又改口講：「台北是家嗎？還是停幾週飛美時，可以說是回家？但是再想想，在紐約也待不多久，又要返台了！如此說來，哪裡是家？」

「哪裡有愛、哪裡有牽掛、放不下，就是家！」

「世界充滿了美，讓我牽掛；充滿了愛，讓我放不下！」我說：「台北是家，紐約是家，北平是家，巴黎是家，甚至小小的奈良也是家！」

愛，就注定了一生的漂泊！

【浮世之愛】

每一個人在成長的過程中，都要學著去了解、去體會、去認知人性，

以及在「人性」表層下，隱藏的獸性。

隱藏的體諒

我曾讀過一個令人驚心動魄的笑話：

「中年主管對新進的女職員很有意思，在一段連續假日之前，總算找到了好機會：

『我能不能邀妳去我的森林小屋渡假？』他故作神秘地說：『我的老婆根本不關心我。千萬別跟人說，明天是我的生日呢！』

年輕女孩抬起臉，眼睛一轉：

『何必到你那裡去，我的家也很幽靜，沒有人打擾，乾脆到我那兒去好了！』

主管簡直樂歪了，心想『這小妞眞來電！』一口答應下來，並在第二天如約趕到女孩住處。

千嬌百媚的女孩子，滿臉神秘笑容地迎接，先倒了杯酒給主管，嬌滴滴地說：

『你在客廳等著啊！我進臥房準備一下，當我叫你的時候，就推門進來。』說著便像條魚似地溜進了臥室，又關上門。

主管的心簡直要跳出來：太神秘，太刺激了！現代女孩子眞是爽快！想必等下推開門，她已經是幾寸薄縷，伸開雙臂……。我何不也爽快一下！

事不宜遲，主管沒兩分鐘，西裝、領帶、襯衫、汗衫，全部解除了武裝，而那女孩子嬌滴滴、神秘的聲音也及時傳出：

『你可以推門進來了！』

主管連靈魂都醉了！推開門——

『生日快樂！』全辦公室的男女部屬，伴隨著香檳的聲音，對他歡呼……。』

笑話說完了！是不是令人驚心動魄呢？那驚動的原因，是它赤裸裸地暴露了人性！

與其他有色笑話不同的，是它絕對可能發生，結果則是無可轉圜地丟盡了人。且不論主管、年輕女主人，或滿屋的同事，都頓時不知如何自處。

但是換一個角度來想，如果故事中的女孩子沒有安排「驚喜派對」，只是自己進去換一套禮服，點燃起蛋糕上的蠟燭，那「坦蕩蕩」的主管，是不是也會尷尬地僵在那兒呢？

如果僵住了，下一步又是什麼？他會爲了打破僵局，一不做、二不休地用強？還是羞慚地返身穿衣離去？

這種尷尬的場面，誰都可能親身遇到。問題是，我們卻不常聽說這類的事。我們常常見到的，是衣著光鮮的紳士、淑女，談吐文雅的貴冑、名媛，我們幾曾聽過他們說彼此的醜態？

醜態絕對可能有！因爲那是人性！只是它總完好地隱藏在人們身後、各人心底。當事者爲對方，也爲自己保留顏面，不說出來。

某日我問一位男同事：

「如果我在餐廳遇見一個吸引我的女孩子，我要用什麼方法去跟她認識？」

男同事說不知道。但是當我拿同一問題，問一位漂亮的女同事時，她卻說出了不下十餘種好方法。

是男同事不願說嗎？我相信不盡然，而且就算他說，恐怕也絕對比不上那女同事的例子豐富。因爲他說出的，只是他一人想出來的，而女同事卻講出了她所經歷的，那是許多男人向她獻殷勤時，眞眞正正表達的！

這也使我想起大學三年級時，一位「名女生」對我說的話：

「你們男人說上一句話時，我就猜到下一個動作了。」

「爲什麼？」

「因爲男人的醜態我見多了！」

當時我還是個天眞的大男生，而那位同年齡的女孩子，由於校外的交際廣，居然已經見過了不少醜態，怎不令人驚訝？

「可是……。」我自問：「我爲什麼從來都沒見過男人的所謂醜態？」

直到後來，我才漸漸了解，男人在男人面前絕對保持尊嚴，女人在女人面前也絕對矜持。

結果了解男人的不是男人，是女人！了解女人的也不是女人，是男人！

而愈是條件優越的女人或男人，越容易見到異性的另一面。

一個漂亮的女孩子可能會說：「什麼叫做朋友？我不信任朋友，因爲我的未婚夫對我說，我要好的女朋友偷偷約他，並且說我的壞話；而我自己更發現，我未婚夫的好朋友，也偷偷追我！」

問題是，如果她的未婚夫不說，她不會知道自己的好朋友有不夠意思的舉動。而她自己，更八成不會告訴未婚夫，他好朋友的特殊表現，因為她不願見到未婚夫與朋友起衝突。

於是，這許許多多的秘密就穿梭地被隱藏了，除非有一天，發生了那中年主管「驚喜派對」的事。

但是我們也要知道，人們之間許多不可解的心結、不可知的怨恨，也是在這當中種下的。譬如那在眾人面前丟了臉的主管，若無法離開自己的職位，將來如何與同事共處？如果他是大老闆，是否會藉故把同事一個個排開、辭退？

「惱羞成怒」，這句話一點都沒錯。當一個人，在異性前放浪形骸，而被拒斥，那羞慚之怒是永難消除的！

讓我再說個故事：

做父親的，突然堅決反對兒子娶一位交往多年的女友，原因是，那女孩子由於太熟，所以擁有一把男友家中的鑰匙。沒想到某日打開門，發現了正在看A片的準公公的某種醜態。

女孩子有錯嗎？沒有！如果說有，是她未按鈴。但有幾個「家人」回家，會先按鈴呢？

男孩子在父親突然反對，自己女友也藉故疏遠的情況下，能探知原因嗎？

可能也沒辦法，因爲女孩爲了大家的面子，不願講。

於是那心結、尷尬與矛盾，就永難解了！

我寫出這許多故事，希望說出的是：

每一個人，在成長的過程中，都要學著去了解、去體會、去認知人性，以及在「人性」表層下，隱藏的獸性。

我們必須運用自己的智慧與勇氣，和別人偶爾浮現的獸性去戰鬥、迂迴，且適當地爲對方隱藏。

這戰鬥的勇氣、迂迴的技巧和隱藏的體諒，正是一種偉大的人性！

【夫妻之愛】

沈澱的愛情上面都是水，淡而無味，
必須常常振動一下，才能有味道。
不要讓婚姻成爲一種習慣，
常給那睡著了的婚姻一點刺激，
即使是輕輕搖一搖！

沈澱的愛情

有個學生寫了一首俳句式的短詩，只有兩句：

「使用前請搖一搖，沈澱的愛情！」

「妙極了！」我說：「但什麼是沈澱的愛情？又怎樣搖一搖呢？」

「愛得太久，疲了，倦怠了，不論朋友或夫妻，愛情都會沈澱！」學生說：「沈澱的愛情上面都是水，淡而無味，必須常常振動一下，才能有味道。譬如送他一個驚喜的禮物，穿著一件特殊的睡衣，甚至……甚至跟他說有個小男生在追他老婆，叫他小心，別忘了自己老婆還是非常吸引人的。總之，不要讓婚姻成爲一種習慣，常給那睡著了的婚姻一點刺激，就算是搖一搖！」

她的道理固然不錯，但我覺得沈到水底，上面淡而無味的愛，倒也別有一種滋味，好比濃茶有濃茶的美，淡茶有淡茶的妙。

菜根譚說得好「醲肥辛甘非眞味，眞味只是淡；神奇卓異非至人，至人只是常。」這雖不是講婚姻，但那眞味只是淡，卻也堪玩味。

我發現許多婚後不久出問題的夫妻，不見得是因爲生活變得太淡，而是婚前味道太濃。譬如婚前熱戀期，總是出外旅遊、夜總會嬉戲，一下子結婚靜下來，餐館成了廚房、風景勝地改爲公寓陽台、蝴蝶鴛鴦成了食譜帳單，生活由熱滾滾，一下子成爲溫吞吞，自然容易出問題。

反倒是那些婚前就由熱戀「跌入」現實的男女，能慢慢將飛馳的愛情逐步減速，由求其「快」，到求其「長」，成家之後比較幸福。

有位朋友熱戀多年，突然跑來對我說：「我終於決定娶她了！」

「難道以前這麼多年，你都沒想娶她？」

「問題是她也沒想嫁給我啊！」

「那你怎知道她現在願意嫁了呢？」

「因爲我們前兩天逛夜市的時候，看到一個很漂亮的瓶子，她喜歡極了，我就說要買了送她。照以前她一定會跳起來摟著我的脖子打轉，這一回居然瞄瞄價錢，說太貴了，以後再談。表示她開始往遠處想，這遠處，不就是結婚嗎？所以送玫瑰花的愛情，不一定長久；『種』玫瑰花的愛情，才是眞的！」

還有一個朋友說：

「我現在跟女朋友進入了新的境界。過去我們上餐館，別人一看就知道是情侶，現在則會認為是夫妻！」

經我追問，原來因為他現在跟女朋友對面而坐，不再是喁喁私語，而成為「女朋友看菜單，他看報紙」。

這使我想起梁實秋先生，在「雅舍小品」續集裡「沈默」那篇文章裡寫的，有位朋友去看他，以嘴邊綻著微笑，當做見面行禮。二人默對，不交一語，梁教授遞過香煙，對方便一枝一枝地抽。又獻上茶，也便一口一口地呷，左右顧盼，意態蕭然。等到茶盡三碗，煙罄半聽，主人並未欠伸，客人興起告辭，梁教授譬之為「六朝人的風度」。

這也令我想起王維在「山中與裴秀才迪書」，寫他去看老朋友，正巧朋友在讀經，也就不打擾，逕自往山裡走了。那種老遠跑去，卻又能以「意到已足」，而淡然離開的境界，不是「平淡入妙」嗎？

還記得古詩中有句「我醉欲眠卿且去，明朝有意抱琴來」。詩人在與朋友一起賞花飲酒時醉了，便逕自去睡，叫朋友：「你要是有意思，明天再抱著琴來玩！」也是在淡遠中，顯示一種摯情。

當然這種淡，不能是無禮，而應該是具有深厚情誼，默然會心，而不拘小節的率性。如同那坐在餐館看報的朋友，他的女伴如果能不覺得自己被冷落，反覺得那只是率眞，則未嘗不是另一種境界。

名作家琦君女士曾說，她跟另一半常難得有說話的機會，只好在桌上留字條，我乍聽覺得不可思議，但見琦君好文章不斷，漸漸領悟夫妻相處的另一妙處：

「Give him or her a break! Leave a space between each other!在彼此之間留一點空間，讓大家保留一點自己，而不必成天膩在一塊。」

熱戀中的朋友，一定不會同意我的看法。

因爲平淡入妙的境界，沒有十幾二十年的工夫，是達不到的！

超級媽媽

【母親之愛】

母親，不論她天生是否強壯，她婚前是不是嬌弱，
似乎只要成爲母親，
就自然變成了「超級媽媽」。她必須「超級」，
否則就不配做「媽媽」！

在老婆梳妝台上看到一個奇怪的擺飾，原來是兒子送給他媽媽的母親節禮物。

那是一朵用布做的大花，放在小小的花盆裡。花瓣不是紅、黃那樣豔麗的色彩，而是藍的。尤其妙的是花的中心，一張白白的面孔，畫著兩撇倒掛的眉毛、一雙失神下垂的眼瞼和充滿血絲的眼睛，還有那已經扭曲走形的笑容。花盆裡則插著一個小牌子——

「超級媽媽（Super Mom）！」

這是多麼傳神的一朵母親之花啊！充分形容了大部分的母親。

母親，不論她天生是否強壯，她婚前是不是嬌弱，似乎只要成爲母親，就自然變成了「超級媽媽」。她必須「超級」，否則就不配做「媽媽」！

她們要是家裡最早起的人，做早餐、準備便當、叫孩子（可能包括先生）起床；她們也總是最晚睡的，做最後的清理，處理信件雜務，哄孩子（可能包括先生）就寢……。

做爲「超級媽媽」必須帶孩子去看病，自己卻不能生病，尤其不准在孩子和先生病的時候生病；即使生病，也不能倒下。她要像「老鷹捉小雞」的遊戲中，那隻站在前面的大母雞，伸開雙臂，瞪大眼睛，去阻擋老鷹的攻擊，並接受後面一大串小雞的拉拉扯扯！

這世上多少母親，就像那個張毅導的電影——「我這樣過了一生」！那一生多半是施，而不是受。最起碼施得多，受得少。

雖說「施比受更有福」，但憑什麼施的人要不斷地施？只為了愛，而不要求回饋？甚至施捨到自己透支，成為那朵藍色的花？

是的！孩子們會感激，如同我的孩子在母親節送上那朵藍花，表示他知道自己的母親是多麼透支地付出。問題是口頭的感激和心頭的感激，若不能化為行動，又具有多少意義？

我常說：「一個人在岸上大喊『救人哪！有人掉在水裡了！』遠不如他眞正跳下水去救，或扔下一根繩子，伸出一隻臂膀！」

可是有幾個做子女的伸出了這隻臂膀？

令人驚訝的答案應該是：

不是他們不伸，而是大人沒教他們伸。那阻止的人竟然常是母親！

許多母親對孩子犯了一個嚴重的錯誤——

「只要你好好念書，家裡事不用你管，老娘一個人應付得來！」

於是孩子不覺得母親需要他。他既然不必對家庭付出，也自然減弱了家庭意識。

母親叫起床、做早點、準備便當、開車送我、帶我看病、幫我削鉛筆、洗衣服……都是當然！

什麼叫做「當然」？「當然」就是例行公事，理當如此做，自然也就無所謂感念不感念。

而當有一天母親不再這樣，我就要不高興！

那些做爲「超級媽媽」的，確實可以肉體疲乏、心靈充實。但她們忽略了兩件重要的事：

一、家庭是個共榮圈，妳不讓孩子參與，他們沒有參與感，也就很難愛這個家，不愛這個家，就不愛妳這個「超級媽媽」！不論他們嘴上說多愛，行動上的冷漠，就是證明！

於是妳成了「寂寞的超級媽媽！」

二、妳不讓孩子做事，孩子連熱油鍋表面不一定冒熱氣都不知道；連搬一件重傢俱，應該怎麼使力，都不了解……。當他們突然進入社會，會頓時難以適應，結果造成許多逃避的心態，和危險的情況。

做母親的人，最重要的責任是「教養子女」，但是太多的母親只知「養」不知「教」，最起碼不知道「教孝」！

不論什麼時代，也不論中國怎麼西化，「孝」絕對是應該維護的美德。可悲的是，今天中國的母親，常沒有學會西方的使子女獨立自治，卻採用了西方的放任、自由，和東方的溺愛，於是當西方的「超級媽媽」都變成藍瓣白臉的花朵時，東方媽媽就更可憐了！

我要請問各位超級媽媽：

妳們為什麼總認為孩子長不大？難道不知道父母的成功與健康，也是子女幸福的保障。最起碼如西方俗語「父母長壽，是子女的榮耀」！

子女是人，妳也是人！人要學會彼此尊重、彼此奉獻！妳要教子女奉獻，這是人格教育的一部分，否則他們學到的只是自私自利，或後半生也做個「只知奉獻的母親（或父親）」！

於是下次上市場，帶著孩子去吧！分給他一份購物單，妳買妳的，他買他的，既省了時間，也增加了母子、母女共同工作的樂趣，而且妳會驚訝地發現：當菜端上桌，孩子會吃得更有味，因爲過去媽媽的菜而今成爲了「我自己挑的菜、買的菜！甚至做的菜！」那菜裡就多了一份情、一分愛！

妳付出、先生付出、孩子也付出，一起動手，堆出家的城堡，這個城堡必能更長久、更堅固！

做一個現代成功的超級媽媽，妳應該有著大大的花盆、豐盛的葉子，和亮麗的花瓣！妳的年輕、健康、美麗與精神煥發，也是子女的榮耀！

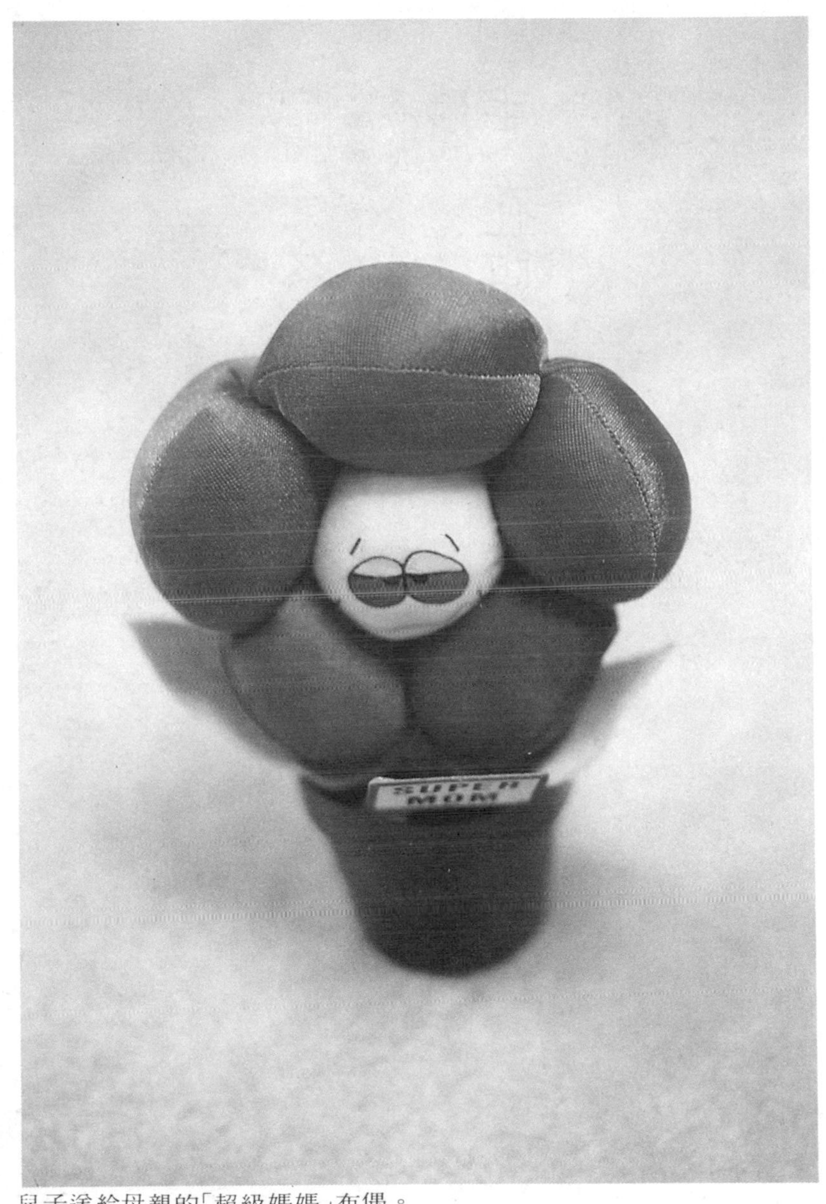

兒子送給母親的「超級媽媽」布偶。

【陽光之愛】

只要最高枝上不足兩尺之處有一絲黃暈，
便仍然可能見到幾隻不願歸巢的小鳥，
堅持到底地守在那兒……。

走在陽光裡

很早以前看過一部義大利電影，其中許多窮苦的人，難熬冬天的寒冷，只要看到雲堆破了洞，透射出一道陽光，就趕緊跑到那小片陽光中站著，霎時陽光不見了，別處再露出一線，大家又都擠到那裡去。

事隔十多年，早不記得電影的名字，那群窮人追逐陽光的畫面，卻歷歷如新，尤其是旅美之後，每到苦寒的日子，見到和煦的陽光，更伴隨著電影的回憶，而有一種特殊的感覺。陽光的溫馨，對於不曾經歷冰天雪地的人，是不容易體會的。雖然在屋裡看到外面燦眼的陽光，與春天的一般亮麗。推開門，卻可能迎來沁人肌骨的寒冷，而有人說「冬天的陽光是假的」。但有陽光畢竟不同，站在陽光裡，和陽光之外，即使只有一線之隔，也見明顯的差異。

我是一個拒絕冬天的人，所以儘管到了霜葉已經落盡的暮秋，仍然喜歡在寒冷的院子裡留連，這時最能鼓勵我，或伴隨我，而使我不寂寞的，就是陽光了！

每當夕陽西斜，陽光開始從我的小院退縮，晚風分外寒冷，我也就不得不像電影中那群

「追逐陽光的人」一樣，跟隨著陽光移動，即使只有頭能沐在光中，也覺得溫暖許多。

而當夕陽接近地平線，屋後森林的下方，全進入黑暗，唯有樹梢上，還留下一抹餘暉時，便只有高棲的鳥兒們能夠享用了！

常覺得鳥最勤快，也最懂得抓住光陰。才露曙色，屋裡連手錶還看不清呢，牠們很可能已經在枝頭聒噪了。

至於傍晚，一棵禿樹，可能停上千百隻小鳥，逆光看去還以爲生滿了葉子，牠們的頭常朝著同一個角度，那八成就是寒風吹來的方向，因爲只有這樣，身上的毛才不會被吹亂，也才能保持溫暖。

當然更能給牠們溫暖的，還是遠處的夕陽。相信那正是牠們站在樹梢的原因。有時候夕陽幾乎完全隱在地平線下，只要最高枝上不足兩尺之處，有一絲黃暈，便仍然可能見到幾隻不願歸巢的小鳥，堅持到底地守在那兒。

所以我常揣測鳥兒們的想法，牠們只是爲了求些溫暖？還是想要欣賞夕陽？抑或居然有了惜寸陰的境界？至於牠們起得最早，又是否因爲巢在枝頭，所以能比下面的人們更早見到晨光？

唐代的詩人常建有句「淸晨入古寺，初日照高林。」正是描寫晨光先照上樹林高處的畫面。現代的城市人怕無緣觀察到這種景色，但何嘗不能改爲「淸晨入都市，初日照高樓」，只是高樓往往剝奪了大多數人的陽光！

氣溫在冰點以下的日子，走在林立的高樓間，眞不好受。因爲陽光全被樓房阻隔，冷風卻仍然穿梭肆虐。如果恰是下午兩三點鐘，陽光還能斜斜射入街心的時刻，就可以看見有趣的畫面了。

只見街道有陽光的那側，擠滿了川流的人群，在陰影裡的一邊，則只見稀疏的過客。這與那義大利電影中表現的，不有著同樣的趣味嗎？

陽光的力量，確實在這樣的冬日最能體現，我們甚至可以說那是銳利如刀的，它寸土必爭地與陰冷的冬寒分割地盤。我曾經注意過屋邊的雪地，竟然能剪出一塊房影，也就是凡被影子罩住的地方都是白色，而露在陽光中的，則可能已經透出下面的土地。

尤其令我難忘的，是有一年冬天到日本旅遊，獨自從日光湖邊的旅館，走向中禪寺，起初一段路因為都在向陽的一面，所以沒有積雪。而當我轉入背著陽光的一邊時，竟然路表全是滑不留足的堅冰。古詩說「南山雪未盡，陰嶺留殘白」，又說「潛知陽和功，一日不虛擲」，不正是這個寫照嗎？

於是中國人所謂「山南為陽、山北為陰；水南為陰，水北為陽」的道理，也就令人豁然貫通了。只為中國在北半球，所以山的南邊總能向著陽光，而如果山夾著水，水的南邊臨山，由於受到山影的遮擋，所以成為了「陰」。古人因為沒有足夠的取暖設備，對於這陰陽的觀察和講究，當然比我們深入。

西方的古人也是一樣的，即使到今天，每當暮冬的時候，廣播和電視裡的氣象專家，仍會提出他們的古老迷信：「看看冬眠的土撥鼠（Groundhug），如果牠二月二號第一次鑽出地表時，看到自己的影子，被嚇一跳，又逃回地洞裡，今年的冬天就要往後延長六個星期了！」

其實道理說穿了，還不是因爲陽光不夠強，那影子還顯得陰寒嗎？豈只土撥鼠如此，即使進化爲人類，我們生理上仍然保有冬眠的趨向。許多人患有冬天抑鬱症，不敢面對現實，不敢接受挑戰，甚至連坐越洋飛機的時差，也與日光有關。對於抑鬱症的患者和時差的人，如果用強光照射，往往能痊癒，或縮短不適的時間。

當然，人造的強光永遠無法比得上眞正的陽光。野人獻曝豈是愚者的淺見？實在有著大道理！

今年走過紐約曼哈頓的三十四街，看見許多年輕人斜靠在向陽的牆邊日光浴，手裡居然各拿著一片錫紙做的反光板，原來他們是怕斜斜的太陽曬紅了半邊臉，所以用反光板來借取陽光。

借取陽光？

可不是嗎！陽光是那麼珍貴，使我們不但要追逐、要把握，甚至要借取！

走在路邊滿是積雪的第五街上，抬頭看到聖派垂克大教堂，我對陽光突然有了更大的感動！我看到那夾在層層摩天高樓之間，原本應該陰暗而難得陽光的教堂，居然燦爛耀眼，彷彿閃著光輝，因爲——

四周的建築採用了全面的玻璃帷幕牆，不但沒有遮住可貴的冬陽，反而紛紛反射，帶來了更大的光輝……。

讓我們都有一片能反射陽光的玻璃帷幕吧！

讓這個世界的人們，都能不自私地佔有陽光，而能與大家共同享受這上天的美好！

讓我們珍惜陽光，站到最高枝！

更讓我們借取每一寸陽光，溫暖每一片土地、每一顆心！

【回饋之愛】

不要以爲中國農村有許多三、四代同堂的大家庭，事實上幾乎沒有！主要的原因是農民壽命太短……。

無怨無悔的愛

我常在文章裡談起蘭嶼的風景，但蘭嶼給我印象最深的卻不是山水，而是海邊遇到的一家人。

那是個傍晚，我在蘭嶼的海灘散步，看到原住民一家人正蹲在地上整理剛網到的魚，他們把魚小心地分成四堆，也可以說是四種等級。

「爲什麼把魚分開來擺呢？」我當時好奇地問。

男人用生硬的國語，指著最好的一堆魚說：「男人魚！」又指指剩下的兩堆：「女人魚！小孩魚！」最後指著顯然又少又差的魚說：「老人魚！老人吃的！」

十五年了，那海邊一家老小的畫面，至今仍清晰地映在我的眼前，甚至可以說，深深烙在我的心上。

我常想：爲什麼老人家要吃最差的東西，又爲什麼當時那老人家，竟抬起頭來，對我一笑？

今天，我到朋友家做客，再一次遭到這種震撼！

晚餐之後，我指著桌上的殘羹剩菜，對主人客氣地說：「您準備得太豐盛了，剩下這些，多可惜！」

豈知主人才六、七歲的小孩竟毫不考慮地搭了腔：「不可惜，奶奶吃的！」

「我婆婆等下會出來吃！」女主人說。看見我十分驚訝，又解釋：「她不喜歡一起吃，叫她吃好的，她還不高興，只有剩下來的，她才吃，而且吃得開心！」

現在我坐在桌前寫這篇東西，想到今晚的畫面，禁不住流下淚來，我要再一次問：為什麼？

只因為老人家沒有了生產力，就該吃剩的？該吃壞的嗎？

只因為老人家「自願」、「高興」，我們就任她自生自滅嗎？

相信不少人讀過我在「點一盞心燈」裡寫的「愛吃魚頭」那篇文章。老人家臨終時，幾個朋友燒了她最愛吃的魚頭去。卻聽到老人瞞了十幾年的秘密：

「魚頭雖然好吃，我也吃了半輩子，卻從來沒有眞正愛吃過，只因為家裡環境不好，丈夫孩子都愛吃魚肉，只好裝作愛吃魚頭。我這一輩子，只盼望能吃魚身上的肉，哪曾眞愛吃魚頭啊！」

這是千眞萬確的事。故事中的老人家有幸在臨終時說出心裡的話，問題是這世上有多少爲家庭犧牲的父母、尊長，就在晚輩們一句「她自己喜歡」的漠視下，慢慢凋零了！

是的！她們是在笑，因爲自己犧牲有了成果，而快樂地笑！

但晚輩們看到那笑，是不是也該笑呢？

還是應該自慚地哭!?

最近我爲公視「中國文明的精神」進行評估，在讀了一百多萬字的專家論文後，印象最深的，竟然是論文裡提到西方社會學家，於民國二十六年起，在中國多年調查的結果：

「不要以爲中國農村有許多三、四代同堂的大家庭，事實上幾乎沒有！主要的原因是農民壽命太短，平均在五十歲以下，活不到多代同堂的年齡，又因爲貧窮而缺乏維持大家庭需要的財富。」

我們能相信嗎？這個中國人常以爲自古就盛行多代同堂的說法，竟然錯了！那是「理想」，不是事實！

父母、尊長平均活不到五十歲，這是多麼可悲的事！問題是，父母不能甘旨無缺、安享天年、這又難道不是子女的恥辱嗎？

過去窮，我們沒話講！

今天富，我們該多麼慶幸!?可是在我們慶幸的時候，是否該想想自己有沒有眞盡孝，抑或又是創造了一種假象!?

記得有一次，我的兒子抱著一碗魚翅湯當粉絲喝，我很不高興地說：「那是留給奶奶的！」年輕人理直氣壯地講：「奶奶說她不愛吃，叫我吃光算了！」

奶奶是眞不愛吃嗎？還是因爲「愛他」，才特意留下來？

每年冬天，我的窗台上都排列著一大堆柿子。

爲什麼柿子一買就是十幾個？因爲我發現只買幾個的時候，母親知道我愛吃，總是先搶著吃香蕉，等我叫她吃柿子時，則推說自己早吃過了水果。

只有當她發現柿子多到不吃就壞的時候，才會自己主動去拿。

當我爲老母夾菜，她總是拒絕，說不要吃，我就把筷子停在空中，直到夾不穩而要掉在桌上，她才不得不把碗伸過來。

問題是，她哪次不是高興地吃完呢？

相反地，當菜做鹹了，大家不吃，她卻搶著夾，我只好用筷子壓住她的筷子，以強制的方式，不准她吃，因爲血壓高的人，最不能吃鹹！

「瞧！有這樣的兒子，不准老娘夾菜！」她對著一家人「高興地」抱怨。

我認爲：當我們小時候，長輩常用強制的方法對待我們，叫我們一定吃什麼，又一定不准吃什麼！他們這樣做，是因爲愛護我們！

而在他們年老，成爲需要照顧的「老小孩兒」時，我們則要反過來模仿他們以前的作法——

用強力的愛！
這不是強迫，而是看穿老人家裝出來的客氣，堅持希望他們接受晚輩的孝敬！
如此，當有一天他們逝去，我們才可以減少許多遺憾！因爲我們爲天地創造了一種公平
回饋，以及——
無怨、無悔的愛！

憶兒時 • 劉墉作 •（93×86cm）1989

【故園之愛】

階邊一棵白茶花，下面有叢小小的棕櫚，我常將那彎彎的葉子摘下，
送到小河裡逐波。
黃昏時，晚天托出瘦瘦的檳榔，門前不遠處的芙蓉都醉了，
成群的麻雀在屋脊上聒噪。蟲聲漸起、蛙鳴漸密，
螢火蟲一閃一閃地費人猜，
牠們都是我的鄰居，叫我出去玩呢！

星星墜落的地方

我記憶中住過的第一棟房子，在現今台北的大同中學附近。雖然三歲多就搬離了，仍依稀有些印象。

記得那房子的前面，有一排七里香的樹牆，裡面飛出來的蜜蜂，曾在我頭上叮出一個大包。

記得那房子的後院，有許多濃鬱的芭蕉，每次我騎著小脚踏車到樹下，仰頭都看見一大片逆光透出的翠綠。

記得那房子不遠處，有一片稻田，不知多大，只記得稻熟時，滿眼的金黃。

記得一個房間，總有著漂亮的日光，那是我常玩耍的地方。但實在，我也想不起房間的樣子，只有一片模糊的印象——陽光照著我，母親則在身邊唱著一首好美好美的歌：熱烘烘的太陽，往上爬啊，往上爬，爬到了山頂，照進我們的家。

我發覺，我多少還能記得些幼兒時的居處，不是因爲那房子有多可愛，而是因爲蜜蜂的叮、芭蕉的綠、稻浪的黃和母親的歌。

幼兒的記憶就是這麼純，這麼簡單，又這麼眞！

眞正讓我有生於斯、長於斯，足以容納我整個童年記憶的房子，要算是雲和街的故居了。我甚至覺得那房子擁有我的大半生，我在那裡經歷了生離、死別與興衰。想著想著，竟覺得那房子裝得下一部歷史，最起碼，也像黃粱一夢。

不知是否對於每個孩子都一樣，那房子裡面的記憶，遠不如它周遭的淸晰。譬如明亮的客廳，總不如地板底下，我那『藏身的密穴』來得有誘惑力；父親養的五、六缸熱帶魚，也永遠比不上我從小溪裡，用畚箕捕來的『大肚魚』。而母親從市場買回的玫瑰，更怎及得上我的小草花!?

童年的房子，根本就是童年的夢！

我記得那老舊的日式房子，玄關前，有著一個寬大的平台，我曾在上面摔碎母親珍貴的翡翠別針，更在颱風漲水時，站在那兒『望洋興歎』！

平台邊一棵茶花，單瓣、白色，並有著黃黃的花蕊，和一股茶葉的幽香，不知是否爲了童年對它的愛，是如此執著，我至今只愛白茶花，尤其醉心單瓣山茶的美。

茶花樹的下面，有一叢小棕櫚，那種細長葉柄，葉片彎彎彷彿一條條小船的樹。記憶那麼深刻，是因爲我常把葉子剪下，放到小河裡逐波……。

小河是我故居的一部份，小魚是那裡抓的、小雞尾巴花是那裡移的、紅蜻蜓是雨後在河邊捕的，連我今天畫中所描繪的翠鳥，都來自童年小河邊的柳蔭。

還有那散著幽香的野薑花、攀在溪邊籬落的牽牛……。甚至成群順流而下，五色斑斕的水蛇，和又醜又笨的癩蛤蟆，在記憶中，都是那麼有趣。

做爲一個獨子，在我童年的記憶中，最要好的伴侶，竟然多半是昆蟲！

小小貌不驚人的土蚱蜢；尖尖頭，抓著後脚，就會不斷鞠躬的螽斯；長長鬚，身上像是暗夜星空，黑底白斑點的天牛；拗脾氣、會裝死的甲蟲；不自量力、彷彿拳擊手的螳螂；還有那各色的蝴蝶和蛾子，都是我故園的常客。

當然，黃昏時愛在屋脊上聒噪的麻雀，築巢在廁所通風口上的斑鳩，以及各種其他的小鳥，更帶給我許多驚喜。最起碼，我常能撿到牠們的羽毛，用書本夾著，一面讀，一面想，神馳成各種飛禽。

我在童年的夢裡，常飛！雖然從未上過屋頂，夢中卻總見房頂在脚下，漸遠、漸小。尤其是夢中有月時，那一片片灰藍色的瓦，竟然變成一尾魚，閃著銀亮的鱗片，又一下子化作星星點點，墜落院中……。

做夢的第二天，我就會去挖寶，挖那前夜墜落的小星星。我確實挖到不少呢！想必是日本人遺落的，有帶花的碎瓷片、洋鐵釘、小玻璃瓶、髮簪，和斷了柄的梳子，這些都成爲我的收藏，且收藏到記憶的深處。

看侯孝賢的『童年往事』，那許多光影迷離的畫面、靜止的午後巷弄和叫不停的蟬鳴，簡簡單單，卻又強而有力，想必也源自童年似眞非眞，卻又特別眞的記憶。尤其是以低視角取景的屋內，更表現了孩子在日式房間裡的『觀點』！

我記憶中的『觀點』，雖在室內，卻落在屋外。我常凭欄看晚天，看那黃昏『托』出瘦瘦的檳榔，和窗外一棵如松般勁挺的小樹。前門不遠處的芙蓉，晨起時是白色，此刻已轉爲嫣紅。窗前的桂花，則變得更爲濃郁。

蟲聲漸起、蛙鳴漸密，螢火蟲一閃一閃地費人猜。牠們都是我的鄰居，叫我出去玩呢！

我常想，能對兒時故居，有如此深而美的記憶，或許正由於牠們。因爲房子是死的，蟲啊、鳥啊、小河、小樹才是活的。活生生的記憶，要有活生生的人物。

我也常想，是不是自己天生就該走藝術的路線，否則爲什麼那樣幼小，就學會了欣賞樹的蒼勁、花的娟細、土的纏綿，乃至斷瓦、碎瓷、衰草、和夕照的殘破？

抑或我天生有著一種悲憫、甚至欣賞悲劇的性格，所以即使在一場大火，把房舍變爲廢墟之後，還能用那斷垣中的黃土，種出香瓜和番茄，自得滋味地品嘗。且在寂寥的深夜，看一輪月，移過燒得焦黑的樑柱，而感覺幾分戰後的悲愴與悽美。

失火的那晚，我沒有落半滴淚。騰空的火龍，在我記憶中，反而光華如一首英雄的輓歌。我的房子何嘗隨那煙塵消逝？它只是化爲記憶中的永恆。

有一天，我偷偷把童年故居畫了出來，並請八十三歲的老母看。
『這是什麼地方？』我試著考她。
『一棟日本房子！』老人家說。
『誰的房子呢？』
老人家沈吟，一笑：『看不出來！』
『咱們雲和街的老房子啊！』我叫了起來：『您不認得了嗎？』
『哦！聽你這麼一說，倒是像了！可不是嗎……。』老人家一一指著。卻回過頭：『不是燒了嗎？』
『每個故居，有一天都會消失的！』我拍拍老人家：『但也永遠不會消逝！』

【山水之愛】

據說從水底看海面
明亮
如同蔚藍的穹蒼
便想：
從大地看到的天空
會是另外一片海洋
想著想著
竟輕飄了起來
覺得自己是條漂泊的魚……。

山水六帖

西湖蓮池。

【山水之愛】

蓮的沈思

在西湖，三潭印月的蓮池邊，凭欄站著一群人，大家爭先恐後地往水裡拋東西，原以為是餵魚，走近看，才知道居然在扔錢。

仲春的蓮葉還小，稀稀疏疏點綴著水面，而那幼小的蓮葉竟成為人們遊戲，甚或賭賭運氣的工具——看自己拋出去的錢幣，能不能準確地落在蓮葉上！

或是由羅馬傳來的吧！而在羅馬呢？則八成是想斂財的人想出點子，教大家丟個錢幣、許個願，願有情人終成眷屬，願在未來的某一天，能再遊那「七山之城」！

豈知這「點子」就一下傳開了，不論維吉尼亞州的鐘乳岩洞，或紐約大都會美術館的埃及神殿，只要在那風景勝處、古蹟面前，能有一盈水，便見水中有千百點閃亮——千百個遊客的願望。

曾幾何時，西方迷信竟傳入東方的古國，生性儉樸的中國人，又不知怎地一下大方起來，當然也可能是賭性吧！小氣的人上了賭桌，也便不小氣了。

就像此刻滿天的錢幣飛向池中，是爲許願？還是爲了看看自己能不能正中蓮心？

多數的錢，都落在了水中，畢竟池子人，蓮葉小啊！

但是小小的蓮葉，目標再不顯明，又豈禁得住如此的「錢雨」？

一枚中了！

四周爆發出歡呼！

又一枚中了！

有人甚至同時丟出整把錢幣：「看你中不中!?」

果然有些蓮葉瞬間連中數元，在陽光下點點閃動，像一顆顆渾圓的露珠。

群衆們愈得意了，錢幣非但未停，且有更多人加入了拋擲的行列……。

小小的蓮葉，多有錢哪！尤其是在這個並不富有的國家，只怕孩子們都要嫉妒了呢！

小小的蓮葉，真是愈來愈富有了，不但錢靠著錢，而且錢疊著錢……。

突然——

默不作聲地，那蓮葉的邊緣，向水中一垂，載滿的錢幣全溜了下去。

折下的葉邊立刻又浮回了水面，乾乾淨淨、空空盪盪，一如未曾發生過什麼事。

喧鬧的人群一下子安靜了！有人罵出粗口，有人扭頭便走。

只有那一池澹泊的君子，依然靜靜地浮在水面沈思……。

我心相印亭。

柳，初展宮眉，春草已經蔓上了石階，且不止於此地，在青瓦間放肆起來。是有那麼多的塵土堆積，使草能在上面滋生？抑或青瓦燒得不夠透，日曬雨淋，又回歸為塵土？

無論如何，「黑瓦綠苔」便有了些「白髮紅顏」的感觸；黑瓦是愈黑了，綠苔也對比得愈翠了。它更使人想起長恨歌裡的「落葉滿階紅不掃」，只是紅葉蕭條，描寫西宮南內的淒淸。這「滋苔盈瓦綠生情」，寫的是西湖堤岸擋不住的春色。

【山水之愛】我心相印亭

先是被亭瓦的景色吸引，遊目向下，竟還有個撩人的名字，說她撩人，倒也不似，只是引人遐思。

「我心相印亭」，多羅曼蒂克的名字啊！令人直覺地想到情侶，便步入其中，看看會是何等隱蔽的處所。

「不隱密嘛！」看到那不過幾道欄干，且伸向水面，四望毫無遮掩的亭內，我失望地說。

「您未免想多了！」一位正凭欄的老先生回頭笑道：「坐！坐！坐！坐下來看這湖水，看這水中的倒影！看看水中的你，你眼中的水，看你的心、湖的心，心心相印！」

如伽葉的拈花，我笑了：

「深林人不知，明月來相照。

西湖人去盡，我心相印亭！」

【山水之愛】

雲泥

你追過雲嗎？我追過！

妳洗過雲嗎？我洗過！

少年時，我愛極了登山，而且是登那人跡罕至的高山，在不得不歸時才離開山。

雲就在那時與我結了緣。

晴朗的天氣，山裡的濃雲，必要到下午四、五點鐘才會出現，午間直射谷底的陽光，將山林的水氣逐漸蒸發，緩緩上升。這時由於日光已斜，山背光和向光面的寒暖差異，造成氣壓變化，而引起山風，將那谷中的淡煙攏成迷霧、攢為濃雲，且在群山的擠壓下迅速騰昇。

雲就在那時與我追逐。

我知道被濃雲籠罩的山路是危險且難以呼吸的，所以總盼望在雲朵與雲朵之間的空白處行走。遠看一團濃雲，即將湧上前面的山道，我們就奔跑著，趁雲未上的時刻通過。

尤其記得有一回穿過山洞，身後正有濃雲滾滾而來，我們一行人拼命地在洞裡跑，那雲居然也鑽入了洞中，在我們的身後追逐，回頭只覺得原本清晰的景像逐漸模糊，所幸眼前山洞另一側的景物依然清明。正高興贏得這一場，肆情喧笑著跑出洞口，卻又頓時陷入了十里霧中，原來那在洞外的雲跑得更快，竟偷偷掩至我們的身邊。

至於洗雲，妳是難懂的，但若妳眞眞洗過雲，必會發現那雲竟是淡淡的一抹藍。

有一年秋天，我由龜山脚，過鸕鶿潭，直上北宜之間的小格頭，由於在潭裡盤桓過久，而山色已寒，使我們不得不趕路，否則一入夜，就寸步難行了。

正値霪雨之後，那時到小格頭的山路仍是黃土道，出奇陡斜而濕滑的路面，使我們常不得不手脚並用地攀爬，一直到將近小格頭，才喘口氣地回頭看一眼。

眞是令人難以忘懷的畫面哪！千層雲竟然就在脚下不遠處，湧成一片浩渺的雲海，我們則是從那海中游出來的一尾尾的魚！

等公路局的客車時，同行的女孩子對我說：看你腳上都是雲泥，讓我幫你沖一下吧！

雲泥？可不是嗎！那是雲凝成的泥，泥裡夾著的雲！

灰暗的晚天下，我確實看見她用水沖下的，不是黃土，而是深深寶藍色的——雲泥！

【山水之愛】

霧白

曾看過一部恐怖電影，片名是「霧（The Fog）」，描寫由海上來的鬼船和厲鬼們，隨著濃霧侵入小鎮。

事隔多年，已經記不得片中的細節，倒是那由海上瞬息掩至的濃霧，在燈塔強光照射下，所發生的深不可測的光彩，總在腦海裡映現。

那是當光線照上去，表面反射一部份，穿透一部份，又經過層層雲霧，再三反射與穿透之後，所產生的神秘之光。它不像逆光看去的雲母屏風那麼平，也不似月光石折射出來的那樣晶晶亮亮，而是一種柔軟均勻，又能流動的東西。

每當乘坐飛機，穿越雲層的時候，我都極力想從窗外捕捉這種映象，只是日光下的雲霧，光潔有餘，卻總是少了幾分神秘的韻致。

家居有霧的日子，我也臨窗眺望，看那路燈是否能製造影片中的效果。或許因爲霧不夠重，光又不夠強，還是覺得滋味平平。

直至今年暑假，到清境農場，夜晚遊興不減，漫步向山裡走去，沒有路燈，地上水溶溶地，高大的松柏在陰暗的夜空下，穆穆地立著，四周是一種夜山的沁涼和窺不透的詭秘，正有些踟躕是否應該回頭，遠處的山道邊，突然燦起一片光彩。

一團白光，由山谷中瞬息飄上，前面的林木頓時成了深黑的剪影，那光團且迅速地擴大，竟使人覺得半座山都燃燒了起來。是火光嗎？但不見火！是濃煙嗎？又不嗅煙。那麼是從何而來的如此萬丈光華呢？

一輛車子由山邊轉過，剛才的一切竟全消失了，才知道原來這如幻的景像，都是因爲車燈射入濃霧中所折射。但過去在霧中馳車的經驗不是沒有，爲什麼只有此刻才能見到？

僅僅兩盞車燈啊！直直的光線，沒入那雲深不知處，車中的人，只覺得前面是一片迷濛，或許猶在抱怨光線的不足，豈知那直光，竟然在不斷折射之後，成百成千倍地擴大，在有緣人的眼中，燦爛成無限的光華。

只是，燈去之後，依然是冷冷的山、涼涼的霧。過眼的光華，仍在視網膜上殘留，眼前的景物卻又回歸平靜……。

我的車燈，山的迷霧，你的燦爛！

此後，每一次夜裡開車，駛過霧中，我都想：會是哪位有緣人，有這樣頓悟的刹那？

【山水之愛】

南山

到紫禁城外的北海公園，看一年一度的菊花展，上千盆的名品，把菊花的造型，帶到了令人難以想像的境界，正陶醉中，卻聽見一個愛嚼舌的北京人，戲謔地說：『什麼采菊東籬下，悠然見南山，您猜怎麼著？根本就是斜眼！』頓時引起一陣哄笑。

那調笑的人，豈知陶淵明的境界，乃身在物中，而不囿於物，如飲酒詩前面所說：『結廬在人境，而無車馬喧，問君何能爾，心遠地自偏。』『心遠』正是詩人能保持寧適的方法。

所以東籬采菊，固然已屬雅事，但那采菊的悠然，以及由此引發的出塵之思，才是最高的境界。

曾見梁楷畫的『淵明采菊圖』，詩人拈一枝花，放在鼻際，眼睛卻全不看手中之菊，而是騁目遠方，正畫出了靖節先生的精神——他騁目向何處？當然是南山！畫家爲什麼不畫出南山？因爲南山不必有形，只是一個境界！

如此說來，南山就不必非是南邊的山，甚至可以不是山了。當陶淵明走向東籬，彎腰折一枝菊花，再緩緩抬頭，面向遠方，又何必有所思？有所見呢？因爲那是一種怡然恬適、無拘無束更無爭的胸懷啊。

遂讓我想起他在『歸去來辭』中的句子：

『引壺觴以自酌，眄庭柯以怡顏。倚南窗以寄傲，審容膝之易安。園日涉以成趣，門雖設而常關。策扶老以流憩，時矯首而遐觀。』

那矯首遐觀的是什麼？

什麼都不是，是一種大而無形的曠達與悠然！

【山水之愛】

水雲

請王壯爲老師爲我刻畫室『水雲齋』的印章，老師說：『想必是出於杜甫的詩句「水流心不競，雲在意俱遲」吧?!』

又請文友薛平南爲我刻一方，平南附邊款：『水流心不競，雲在意俱遲。丁卯冬，平南並錄杜句，爲水雲齋主人。』

朋友見到我的水雲齋，則笑說：想必你是要退隱了，因爲既然有了『不競之心』和『俱遲之意』，當然生了『箕山之志』！

我則心想，如果硬要套上詩詞，他們爲什麼不提王維的『行到水窮處，坐看雲起時』，或是韋應物的『浮雲一別後，流水十年間』呢？

其實我的水雲齋名，是在少年時就想到的，那時候常爬山，也便總有拂雲涉水的經驗。台灣的山裡特別潮濕，遠看的雲煙，到眼前成爲迷霧，穿進去濕涼涼地，加上山裡的陰寒，和景物的朦朧，則給人一種在水中游走的感覺。

有時候涉水到瀑布旁邊，水花飛漱，隨著山風揚起，更讓人分不出是水、是雲。還記得有一回在兩壁狹窄的山洞裡溯溪而行，突然由前面澗口湧進一團濃雲，隨著凜冽的山風，飛速地從身邊掠過，那霧不知是否因爲被狹谷濃縮，緊密得令人難以呼吸，又彷彿一絲一縷地從身邊掠過，加上脚下的冷冷澗水，就更讓人雲水難分了。

所以，在我心中，水和雲是一體的，她們都無定形、都非常地貼膚，都難以捉摸，也都帶此神秘。有時候覺得自己未嘗不是雲水的化身，以一種雲情與水意，生活在雲水之間。

如果非要問我水雲齋的來處，便請聽我少年時作的『雲水之歌』吧：

雲水本一家
家在雲水間

牽裳涉水去
化作雲中仙。

朝在西山坐
夕在東山眠
我身在何處
虛無縹緲間。
南山爲曉霧
北山爲暮雲

喚我我不見
揮我在身邊。
春雨也綿綿
秋雨也涓涓
流入江海去
此生永不還！

黃山月夜・劉墉作・(57×93cm)1990

【山水之愛】

黃山散記

今年四月，我排除了一切工作和應酬，逼著自己再做一次黃山之行。旅行團辦得極好，尤其妙的是團員多半爲藝術家，工作既同、興趣也近。我們由雲谷寺坐纜車直上黃山北海，經始信峰、石筍峰、觀音峰、仙女峰，再由獅子峰、夢筆生花、筆架峰，下散花塢。而後由西海、排雲亭，過丹霞峰、飛來石、光明頂、鰲魚峰、蓮花峰至玉屏樓。最後由蓬萊三島、天都峰至半山寺、慈光閣。

雖未能遍遊黃山七十二峰，但餐煙沐雨、零霜履冰，一週之間，如經歷四季晴晦。且既獲朗日高懸，得睹黃山雄奇之骨；又遇明月當空，得窺幻化陰柔之面。

古人說：「五岳歸來不看山，黃山歸來不看岳！」又有句「豈有此理，說也不信，眞正妙絶，到者方知！」可見黃山之奇。

沿途寫生攝影甚多，數月整理，已略見頭緒，只是鏡頭看黃山，畢竟有如以管窺天，難見其大。此處擇數幀及近作一張，配以短文刊出，盼能不負山靈。

排雲

只緣昨日沒來得及畫排雲亭右側的景色，今天雖然鎮日豪雨，仍然趁著雨勢稍弱，衝上迷濛的山道。

雨是經過松葉篩下來的，或沒有雨水落下，再不然則像小時候，用稀泥打仗般，一小團、一小團地漫天飛舞，打在雨衣雨帽上，咚咚咚咚，如同沉沉的戰鼓。只是覺得那雨水未免落得太重了些，伸手到空中試探，竟抓住一顆雨滴，在掌中閃耀溶化。

「排雲亭」位在丹霞峰的半山，左擁岑立峭拔的「薄刀峰」，右抱松濤洶湧的「松林峰」，這兩個名字，使人想起水滸傳裡的衆家豪傑，加上後面的「丹霞」，更有些道家的神秘起來。

可不是嘛！薄刀峰下一塊奇岩，像煞倒放的靴子，名叫「仙人曬靴」，松林峰下一杜擎天，杜頂像有隻裹小脚穿的高底繡花鞋，於是女性的陰柔也加入了。

或許這就是黃山吧！有它雄渾、壯闊、幽深、峻切的山容，也有它神秘、詭譎、險怪、峭拔的林相。更有那霧騰霞蔚、幽谷涵嵐的煙雲供養。

譬如此刻，漫漫雲霧，正隨著那霰雪雹冰滾滾而來，由兩山之間湧入，愈行愈窄、愈變愈濃，突然穿越崖邊的鐵鎖迎面襲來，伸手去擋，手已不見，十里霧中，只一片白。

至此，我終於領悟「排雲亭」的排雲……。

黃山玉屏峰文殊院。

文殊

「不到文殊院，不識黃山面！」

大概自從建成文殊院，便有了這句話，也恐怕是文殊院的人如此說，爲了讓大家來拜文殊菩薩！

文殊菩薩早沒了蹤影，文殊院改名爲玉屏樓，並非樓中有玉屏，而是樓在玉屏峰之上。

般屏風，小則二屏，多則六屏，再大也不過八屏。但是玉屏峰的屏多達千折，而且是以石爲屏，以松爲文。這上千的玉石屏風一層層地由山下向中央聚攏，中間一線，是玉屏梯，遠遠望去像一朵初綻的蓮花，蓮心則是舊時的「文殊院」。

於是文殊菩薩不見倒也對了！這玉屏峰本身不就是文殊嗎？只是人在佛心，而人不自知，如同登玉屏峰的人，只覺得山路奇險，兩邊石壁差堪容身，卻沒想到自己正走在黃山最美的風景之中。

從天都峰上的天梯，回首玉屏峰，縹縹緲緲地隱入雲海，眞是有若仙境，如遊夢中。

我心想：「不到文殊院，不識黃山面，下面應該再加一句：

『不涉天都險，不識文殊面！』」

蓬萊

黃山在安徽，距海遠，卻跟海結了緣。

倒不是說黃山是從海裡冒出來，這世上有幾座山不曾爲滄海呢？

黃山之海，是雲海！所謂黃山因松而奇，因雲而秀。黃山的美，除了原先具有的嵯峨山岩，松與雲更不可少。所以也能說黃山是以石爲骨，以松爲血肉，以雲煙爲呼吸。而黃山是佔地一千二百平方公里的大山，它的呼吸便成爲雲海，雲海中的山，也不再是山，而成了島！

「蓬萊三島」就是這樣得來。

三道奇石，聳立山間，前扼玉屏峰之峻，後勒天都峰之險，卻又卓然獨立，自成家數，任是誰走到三島之間，都忍不住叫一聲：奇山！

實際三道奇石，不過幾丈高，只能稱石，不能叫山。可是不僅成爲了「奇山」，而且變爲了「仙島」。

當風起雲湧，由黃山西海飄來，緩緩流過兩大山峰之間，那三道奇峰只露山頭，在萬頃的雲波間浮浮沈沈，不論住在文殊院，或行在天都峰的人，遠遠望去，都像極了三座若隱若現的海島。

至於月出東山，整個山谷灑上一片寶藍色，那三座奇石一側映著月光，一側隱入黑暗，把長長的石影拖向山谷，就更像夢中之島，立在一片蔚藍的海洋之間。

攝於蓬萊三島前。

所以山不在高，也不在有仙無仙，而在其姿態之奇。譬如這蓬萊三島，在黃山群峰之間，大小只堪做個盆景，卻能小中見大，使人們走到這兒，突然像聚光鏡般把七十二峰的印象，全凝匯到一塊兒，發出鬼斧神工的讚嘆。

蓬萊三島的妙，就在此。所以有人說它是黃山的心靈，藏在深谷之間。也有人講它是黃山之眼，如秋水、如寶珠、如寒星……。

天梯

站在迎客松前看天都峰，像用條長尺，在光滑的山壁間直直畫了幾道，上面是嵏入天際的雲煙，下面是不知其底的深谷。

那直直的幾條線，就是直通「天都」的「天梯」！

早上，年紀較長的隊員，紛紛掏出巧克力、牛肉乾等零食，塞給我們這些準備上前線的小老弟、老妹們，又十分戲謔地擁抱一番：「好自爲之啊！」「多保重啊！」可惜黃山無柳，否則這文殊院前就成了「灞橋」！那迎客松下反成爲了「陽關」！

天梯之前是登山站，幾個穿人民裝的管理員檢視行李，大的背包一律擱下，又叮囑登山中途少做停留，免得下面的人上不去。大有此行是只能向前，縱使有刀山劍海也不容後退的意思。

遂想起日本名登山家三浦裕次郞登艾佛勒斯峰的那句話：

「此刻我已不畏懼死亡，比死亡更可怕的是失敗。」

「我已經無法將『危險的前進』，轉變爲『困難的後退』，所以只有選擇前進！」

過去聽人說：「登黃山，小心別擦傷了鼻子！」還弄不淸楚怎麼回事，直到踏上七十度的天梯，才發覺鼻子眞快要碰上前面的石階。

一階一階的做法，至此已行不通，因爲路陡得容不下那許多階。於是只好做成左一脚、右一脚，交次出現的情況，彷彿在山壁上鑿洞攀援，那洞不平行，而是交錯的！

前面沿途幫過大忙的路邊鐵索，也不夠用了，必須一手拉索，一手攀岩。所幸那岩壁間特別鑿下了許多深孔，恰恰容得手指。登山者必須運指如鈎，才能保得平安。

記得小時候去指南宮，見過一聯：

「且拾級直參紫府

乍回頭已隔紅塵」

此刻便改作

「且攀援直上天都

莫回頭了卻塵緣」

這後一句豈不妙絕!?當作二解：

莫回頭！否則失足墜下，便將了卻今世的塵緣！

莫回頭人間世！且了卻塵緣，直上天都吧！

黃山天都峰奇石「仙人指路」。

天都

從天都峰回來的人，少有人眞能說得出這黃山絕頂的景象。

是因爲行過天梯，已經筋疲力竭而無心賞景？

是因爲天都之爲天都，如同極樂之爲極樂，旣已是至善至美之地，也便無喜無嗔、無貪無念，但願一片融融，不可說、不能說，無法說也不必說!?

是因爲天都峰總籠在一片迷霧之中，只在此山中，雲深不知處，連自己都看不清，更何況山容岳貌了!?

是因爲天都峰已在黃山群峰之上，一覽衆山小，旣沒了比較，便如功業彪炳的蓋世英雄，或年行過百的人瑞，留下的不是自豪，而是孤獨？

在強勁山風的挾帶下，雲霧像白紗窗帘般一層又一層地拉過，天都頂峰層疊的奇岩和洞穴間，便上演一幕又一幕的史詩。

這是歷史的詩，用億萬年歲月，雕琢山河大地所成的交響詩。若這詩中有一夜天崩石裂，那便是大地之鈸；若有一天群石滾動，那就是大地之鼓。

直到天地皆老，滾動的、崩裂的、飛揚的、昇起的，都安靜睡去，巧巧妙妙地，互讓互就地，擺出一種大家都能接受的姿勢，成爲天地間一完美的組合，便是這史詩的完成！

所有的錯誤、悲劇、巧合與不巧合，在歷史的眼裡全是當然！

不論人的史詩或山河的史詩，這都是不變的道理！

什麼鎖是這樣的鎖？

什麼情是這樣的情？

在黃山之巔，那風雨凜烈，終年霜雪的天都峰，竟有成千上萬個鎖，被不知名的人鎖在崖邊的鐵鍊之上。它們也當是知名的，因爲每一把新鎖的主人，都會刻下自己和自己愛人的名字，然後虔敬地，以一種參拜或賭誓的心情，把那刻了名字的鎖，緊緊扣在黃山最苦之地。

是的！若無風霜雨雪的試煉，如何見那情的堅貞!?

若沒這堅實的鐵鍊和銅鎖，又怎樣表示那情的強固!?

於是日復一日，那原本用來防護，做爲圍欄的鐵鍊，便只見上面成串的鎖，而不知其鍊了。甚至有些鎖上加鎖，鎖成一串。或一個鐵鍊的孔眼，竟同時鎖上了許多，變成一朵金屬的花。

使我想起在挪威看過的雕刻公園，裡面有一座生命之柱，無數扭曲的人體交纏在柱上，雖說是柱，已不見柱，那柱是用愛恨交織成的「生命」！

這些糾纏在一起的鎖，就是愛恨，成爲解不開的結、結中的結！

相信在這山頭有多少鎖，在那山谷便有多少鑰匙，因爲每個把鎖鎖上的愛人，都相信他們生生世世，不會再開這鎖，那鎖的是愛，愛是永遠的鎖。

鑰匙便被拋向空中，帶著歡愉、帶著祝福，無怨無悔！

就算有怨有悔，又會有人重新登上這天都峰頂，把那負了他（她）的鎖撬開嗎？

若是年輕，可能！只是也可能沒了情懷，既然情已不再是情，又何需管那情鎖？

若是已經年老，就更不可能了。兩個完整的心，尚且難得登上天都，一顆破碎年老的心，又如何談？

儘管如此，我還是買了一支鎖。賣鎖的人問：「刻什麼名字？」我說：「不必了，空著！」

我把鎖扣上，突然想起一首不知名的詩：

「我的家在汨羅江畔，像一顆鈕釦，扣在大地的胸膛……。」我說：

「這鎖是我的，我把黃山鎖上，黃山也成了我的——在我的心中！」

情鎖。

【石之愛】

雨花石都是魂魄變的，
那是滴血的石頭、含淚的石頭，
不信你只要盯著它們看，
就會見到裡面許多搖搖擺擺的人影……。

雨花石

從秦淮河畔買來雨花石，一種小小的瑪瑙，也許是億萬年前從大塊瑪瑙中碎裂的石塊，又經歷歲月的磨蝕，變成一顆顆渾圓的小東西。於是當大的瑪瑙必須在剖開之後，才能見到層層紋理時，這小小的雨花石，卻能在分寸之間，體現千百種的變化。也可以這樣比喻：大塊瑪瑙如同大的貝殼，不切開就看不到貝頁中斷層的美，雨花石則像是用大貝殼磨成的珠子，顆顆晶瑩，層層變化。

雨花石要放在水裡養著，不知因水折射，抑或滋潤了石頭的表面，小石子一入水，就活了！像小丑面具、像繡花荷包、像熱帶魚斑斕的紋身、像裡面藏著故事的水晶宮。不！應該說她們像是水精，剔透、純潔又有些鬼魅的精靈。

我把一大包雨花石泡在白瓷的水仙碗裡，放在桌子一角，常忍不住地伸手撥弄幾下，所以桌上總滴著水，翻過的書經過濕濕的手指，也便不如以前平整。我常想：賞盆景，是遠觀，可以遐思山水庭園。養雨花石，則能褻玩，幻想裡面的大千世界。

雨花石確實有一段故事。據說梁武帝時，雲光法師講經，天上落花如雨，掉在地上，就

雨花石。

成了五色的小石頭。故事很美，卻有朋友嚇我：

「雨花台，你知道那是什麼地方嗎？那是專門槍斃犯人的！所以雨花石都是魂魄變成，那是滴血的石頭、含淚的石頭，不信你只要盯著它們看，就會見到裡面許多搖搖擺擺的人影！」

於是夜闌人靜，我獨自伏案筆耕，水碗表面隨著筆觸的振動而盪漾時，那些小人影就躍躍欲出了。

不過帶一點恐怖的美麗，總是耐人尋味的，如同倩女幽魂的美，具有妖嬈與清癯混合的印象，即使是小孩子造訪我的畫室，原本對雨花石沒什麼興趣，聽到這鬼故事，也頓時眼睛發亮起來。

「妳可以挑三個帶回家，叔叔送妳的！」每次看見小孩兒愛不忍釋的樣子，我都會慷慨地這麼說。

於是可以預期的，帶孩子來的大人，也參加了評選的行列，左挑、右撿，吵來吵去，甚至連同行的賓客，都加入了意見。

只是意見愈多，愈沒了主見，最後小孩子手足失措地抬起頭：

「叔叔！爲什麼挑三個，不是四個？」

到頭來，三個進入口袋，孩子的心卻留在了碗中，挑去的三個永遠是最合意，也永遠是最失意的。好幾次在小孩子走出門後，我都聽見大人們吵著：

「叫妳拿那顆黃的嘛！我看黃的最美！」

「爲什麼不聽媽媽的話，拿那個小鵪鶉蛋呢？」

「可惜我沒帶孩子來，否則老劉就又少三顆了！」

我的雨花石，眞是愈來愈少，最後只剩下一顆，最醜的，孤伶伶地站在水碗裡，像是一個失去同伴的娃娃，張著手，立在空空的大廳中間。

「這是什麼東西？」朋友五歲的女兒，趴在我的桌邊，踮著脚，盯著我剩下的唯一一顆雨花石，竟無視於她父親嚴厲的目光，一個勁兒地問：「是什麼？是什麼嘛！」

「是雨花石，好看嗎？喜歡嗎？」

「好像彩色糖，喜歡！」

「送妳吧！」

「眞的？」她抬起頭，目不轉睛地問，手已經忙不迭地伸進水碗。

那小丫頭是跳著出去的，她的父親，也千謝萬謝地告辭，說小丫頭不懂事，我眞慣壞了她，只聽她喜歡，就把自己唯一一塊從南京帶回的寶貝送給了孩子。

他們的笑聲一直從長廊的電梯那頭傳來。送出了幾十顆雨花石，每個孩子分三顆，我卻從這個只有一顆的孩子臉上，看到滿足的笑容，百分之百地、沒有遺憾，只有感謝……。

巴林印石「薑糖凍」。

【石之愛】

誰說「情到深處無怨尤」？
這世間除了「情至濃時情轉薄」，而可能不計較。
眞有深情，怨尤是只會加重的！

薑糖凍

在北平琉璃廠大街上，逛了十幾家店，只有到榮寶齋，才被這塊「凍石」吸引住。

那是一方高一吋半，長寬各一吋的印章材料，蒙古巴林的產物，所以又叫巴林凍。巴林是晚近才發現印石的，雖不如青田、昌化來得著名，但是石色豐富，倒有後來居上的架式。

就拿這一方「凍石」來說吧，躋身在那上百的雞血、田黃、魚腦、芙蓉、荔枝凍石之間，竟毫無遜色，而且一下便抓住我的眼睛，讓我把鼻子也貼在了玻璃櫃上。

眞是何其美好啊！半邊溫潤剔透、瑩潔如玉，半邊黃中帶紅，介於翡與田黃之間，直讓人覺得有股暖流從那石中散發出來，通過雙眼，燙貼全身。

我要求店員拿出來，小心地接過，先將那印石左右摩挲一遍，愈顯出裡面纖纖的紋理，再把印石舉到燈下，看那光線在其中折射之後，散發出的曖曖之光。

如果說「田黃」帶有蘿蔔紋，這方石頭，則帶著薑糖紋，因爲它恰像小時候吃過的粽子形薑糖，在橙褐色中現出一條條細細的纖維。

不過那又不是眞正的纖維，而像一層層結成的冰，或在流動時突然凝固的玻璃，在似有似無之間，隨著光線的折射，顯出水紋漣漪般的質理。

是億萬年前，這剔透且熾熱如火的熔岩，從地心深處迸湧而出，卻又在奔流時，突然被四面逼來的岩層禁錮，而凝固成一美好的奔躍之姿吧，彷彿坩鍋中的水晶玻璃，在凝固前的每一振盪，都成爲永恆的記憶。

就稱它爲「薑糖凍」吧！甜甜的確實可以入口呢！整塊看起來，則又有些像是橘子羊羹，不但絲毫看不出堅硬的感覺，反有些觸手欲溶的忐忑。

被人們愛的很多玉石，或許正因爲它們能勾起美好的聯想，如水的清、如霧的迷、如脂的腴、如糖的甜、或像是果子凍的剔透、像是蜜餞般的潤澤，在那眞實與虛幻之間，引發人的喜悅。

只是在這喜悅之中，卻有著一絲遺憾，因爲我在燈下，竟發現一條長長的裂璺，從石頭的右上角，斜斜地延伸而下，雖然只是一條深藏在內的石紋，表面難以覺察，多少總是缺陷。

我把裂紋指給店員看，希望價錢能便宜些。店員找來經理，卻說正因爲有裂紋，才訂出這樣的價錢，否則怕要加倍了。

我摩挲再三，將那薑糖凍，在燈下照了又照，放回盒子，再取出來，中途還轉去看其它的印材，甚至到樓上逛了畫廊，仍然無法忘情。只覺得那方印石，從我觸目，便彷彿一見鍾情的戀人，有一種心靈的契合，再難分開了！

於是它由我天涯的邂逅，成為了萬里行的伴侶，從麗都飯店，帶到北京飯店，出八達嶺，上長城，又遊遍了北海和圓明園。在黃沙北風中，我的手搋在厚厚的大衣裡，暗暗地摩揉著它，本是因我體溫而暖的玉石，竟彷彿能自己發熱般，在我的指間散出力量。

那黃沙北風的來處，不正是妳的故鄉—巴林嗎？冷冷的大漠北地，如何誕生像妳這樣溫情之玉？抑或因為妳離開窮鄉，來到京城，被那玉匠琢磨、打光，且襯以華貴的錦緞之盒，端坐在那榮寶齋的大廳之上，便顯露了天生難自棄的麗質！

由香港，轉回台北，再飛渡重洋來到紐約，立在我麗人行的骨董櫃中，她依然是那麼出衆。

於是西窗下，午后斜陽初曬上椅背時，我便喜歡端一杯咖啡，斜倚在窗下，把玩她。陽光是最明澈，而適於鑑賞的，這方薑糖凍也便愈發溫潤剔透，而引人垂涎了。

我總是把她先在臉上摩擦，使得表而油油亮亮地，再拿到陽光中端詳，彷彿梳洗初罷，攏開額角，朗朗容光的少女，被戀人抬起羞垂的下巴。

可惜的，是那石中之璺，在陽光下也就變得特別明顯，且每每在我讚歎那無比溫潤蘊藉的時刻，突然刺目地閃動出來。

那是一個暗暗的陰霾與夢魘，在最濃情蜜意時產生殺傷的作用，好比初識時不曾計較的玷斑，在情感日深時造成的遺憾，且愛得愈深，遺憾也愈重。

於是每當我拿起它，便極力地摩挲，用凡士林油一遍又一遍地塗拭，捧在手中，用自己的體溫與滿腔的愛來供養，希望那石中之璺，能因爲油的浸入而減淡、消失。

但是璺依舊，遺憾更深。

早知如此，當初又爲什麼選上她呢？只因爲她不可再得？只由於那見面瞬間的感動？

然則，又有甚麼好怨？

誰說「情到深處無怨尤」？這世間除了「情至濃時情轉薄」，而可能不計較。眞有深情，怨尤是只會加重的！

但，又是什麼力量，催使我每天不斷地摩挲她呢？不正像是掘井人，只盼下一鏟可能冒出水，便不斷努力，千鏟、萬鏟、千萬鏟，竟挖出自己也難以置信的深度。

於是我這日日的供養，肌膚的溫存，豈不正因爲那完美中的遺憾，只爲了撫平創傷，所做的萬般功德嗎！如果這石眞完美無瑕，只恐捧著時怕她掉了，握著時怕她溶了，又豈能有如今這許多殷殷的盼望與夢想呢？

我知道夢想不可能成眞，而且從那相識的一天，選擇她的一刻，那石璺便成爲了心璺。但也因爲這些遺憾，使我發現世間全然的美好，是那麼難以獲得，這不美好的反變得更眞實。而在那疵缺之外的美好，也就更讓我珍貴了！

【故園之愛】

當有一天
我們划不動了
就找一個港停泊吧！
我們不問那港的名字
只要求，有一扇朝海的窗
看到點點的帆……。

告別問園

事情就這樣發生了

這事情是從許久前就醞釀的，只是一面促成它的發展，一邊又矛盾地把它遺忘，於是該寫的文章、該作的畫，依然如期地產生，也仍然總在午後端一杯咖啡坐到後園，面對一林的綠意。

籬角的黃瓜雖種得稍遲，而今也結實纍纍；原先的菜圃雖未再種菜，卻自然冒出許多野草莓和番茄，便也幫著她們清除四周的野草，並搭起支撐的架子。

韭菜更不用說了，早青青翠翠地繁密起來，且深深地彎了腰。

於是春風依舊，辛夷依舊，茱萸依舊，丹萱依舊，薔薇仍然是『風細一簾香』……。

只是……，只是怎麼突然之間，這住了八年的幽居，這小小可愛的問園，竟不再屬於我了呢?!

一對由羅馬尼亞移民來美的音樂家，帶著五、六歲的男孩兒，在地產掮客的帶領下，一次又一次地來訪，且引來了他們的父母兄弟。房子並不便宜，賣了半年都沒消息，我也就沒把他們放在心上。

直到有一天，從窗間眺望，看見有輛車子遠遠停著，裡面盯著我屋子看的，正是那對夫婦，我才對妻說：『看樣子，那對羅馬尼亞的音樂家要買我們的房子了！』

果然，當晚就接到地產掮客的電話。

事情就這樣發生了！

理還亂

像是震餘，又如同劫後，雖不見烽燹，卻有著一片混亂與悽情。

櫃子裡的東西全搬到了外面，外面就變成了櫃子裡，大大小小的紙箱，高高低低地放著，到後來竟連走路的地方都沒了，只好坐在箱子上喘氣，俯在盒子上寫信，信很簡單：

『搬家！一片混亂，情懷尤亂，不知所云，稿債請容拖欠，信債請容縮水，待一切安定，當加倍償還！』

其實這番令人筋疲力竭的辛苦，原是可以避免的，美國有許多搬家公司，由登記、打包、搬運到拆封，只要告訴他哪個櫃子要進哪個房間，到時候自己『人過去』，就可以了——一切東西保證原樣，彷彿不曾移動般，在另一個房子呈現，位置不變，灰塵也依舊！

我就是不要這灰塵！平常繁忙，難得清掃一次，如今搬家，還能不藉機會理一理嗎？何況聽說有朋友由紐約搬往新加坡，搬家公司來前才煮的飯，一轉眼飯不見了，原來也被打包搬上了貨櫃，運去了地球的另一邊。

因爲他們只幫你搬，不爲你選！

『選』原比『搬』麻煩多了！

看那大大小小，每一件小擺飾、雜物、文具，都能說得出一個故事。可不是嗎？人到成家之後，最大的成就感，就是四顧房中，觸目的一切，都能說出個道理。

那小煙灰缸，是我到跳蚤市場買的；這個雕像是大都會美術館複製的；那方端硯，是由蘇州抱回來的；這支羽毛，是我在森林裡撿到的……。至於那個大的，會動的——是兒子，我和太太在十八年前生的！

於是，從小東西，到大人物，哪樣沒有情呢？又哪樣捨得開呢?!

『選』就是這麼難！每個被選上的，都得包裝、搬運、拆封，也都代表一種負擔。每個沒被選上的，都得拋棄、進清潔袋、上垃圾車，代表著一去不回和永遠的沈淪！

這天淵之別的遭遇，竟繫於自己忙亂的一念之間了！

多麼捨不下！又多麼拖不動！

常感歎人年歲愈大，捨不下的愈多，拖的力量卻愈弱。也便能了解，有些老人把別家丟出的垃圾，往家裡搬的矛盾。

世間萬物，皆有其用，豈能暴殄？

直到有一天，吐出最後一口氣，兩手空空地離去。

在這『得』與『捨』的矛盾間，我是更加『理還亂』了！

遺忘的深情

你能相信嗎？

我找出二十三根電線的延長線，十五個『三接火』，三十多支全新的原子筆和四十多根新鉛筆，還有十九塊橡皮、八管膠水、十一支美工刀和三十多個羽毛球……。

有些東西，如橡皮擦，因爲常在用的時候找不到，我便故意買許多，到處放，使得左右逢源。但是像延長線，全家也用不了幾根，八年下來竟然窩存了二十三條，就令人費解了！

或許因爲家裡的每個成員，都不知道存貨甚多，一時找不到，就以爲沒有，而出去買一條。用之後，放在一邊忘了，碰到再需要，便又出去買。長久以來，竟存下這許多。

當然也有個可能，就是大家都覺得與其四處翻箱倒櫃地找，倒不如乾脆去買，在時間比東西值錢的情況下，這樣做，反而更經濟。

只是照這麼想，搬家公司一箱一箱算錢，如果什麼都捨不得，而由舊家搬往新家，可能許多廢物的搬運費，都已超過了所值。如此說來，不都該捨下嗎？

於是想到了許多朋友，明明十分深交，久不往來，竟忘到了一邊，再去交新朋友，也是同樣的道理！

翻檢著舊日的書信，許多熟悉又遙遠的名字跳入眼簾，再三引我心靈的震撼：

他們都在哪裡？

隨著我人生旅途的不斷遷徙，是否都成爲遺忘在抽屜角落的東西，或認爲累贅，而拋下的行李。

何必再去外面買更多東西？許多家中現存的，已經夠用一輩子。

何必再去交更多的新朋友？想想故舊，多多聯繫，不是更親密嗎？

永恆的詩篇

『不要往牆上扔球，免得弄髒了壁紙！』

『不要在客廳吃飯，保持地毯乾淨！』

『車房裡有草肥，整個院子灑一遍！』

『拿電剪和梯子，把兩邊的樹牆修剪一番！』

每次我這樣說，兒子都會講：『房子不是已經過戶了嗎？我們是在住別人的房子！』

我也必然會回一句：『這是我們的家，人在哪裡，家在哪裡！』

在灣邊（Bayside），這後面接著森林，林後有著海灣和蘆蕩的『問園』，一住就是八年。

雖然正門對著一棵大樹，又向著一條直直的馬路，許多人認爲風水不佳。但我在其中順順利利地生活。老母八十三高齡，依然健朗；兒子十八歲，又有了小妹妹；妻由大學主任助理，升到系主任。

我自己，也像是有了些人生的成績。

誰說對著『直沖馬路』的房子不好？我的房子就好！福祿壽兼具。福人福宅，吾愛吾廬！

我愛我小小的問園，她就帶給我無窮的福分！

雖然早一天搬，可以省一日的房租（因爲房子已過戶給下任屋主，我多住的日子要付租金），我仍然堅持多留兩天清掃的時間。

新搬去的家還一片雜亂，我們卻回到『問園』，掃地、吸塵，讓這我們深愛的房子，也能給新主人美好的印象！

『告訴新屋主，番茄和黃瓜要早晚澆水！』母親叮囑。

『跟那小鬼說，後面森林好玩，但要小心毒藤！』兒子講。

『我要教她使用中國式的抽油煙機，並且告訴她可以大炒大炸，不用怕！』太太說。

『千萬提醒我，別忘了告訴他們如何修剪紫藤，使藤變成一棵樹！』我說。

臨走，每個人繳出鑰匙，母親說她的鑰匙環太緊，拿不下來，能不能不拿？

『留著做什麼？已經是人家的房子，我們不能自己開門進來了！』

『紀念，總可以吧?!』

推開門，是第幾次推開家門？走下問園的石階，只是這一番離去，竟有永遠失落的感覺！

問園！這後林有多少小鳥是吃我的穀子長大的？一代又一代，年年冬雪中叩我的後窗。

這辛夷樹下的白石，是多麼美！誰知道那是我種菜時，由一鏟到幾百鏟，再集多少人之力，一起動手，才挖出來的？

我要叮囑新屋主，早春別忘了階邊的小綠芽，是鬱金香。仲春別忽略了院角樹蔭處，有大片的鈴蘭。

別急著鋤地！別衝動地剪草！

問園裡藏著許多神秘，許多美的消息！

問園！

她曾是我筆下的靈思，更是我生命中永恆的詩篇！

小鳥們在我窗外的小餐廳（餵食器）用早點。

【家園之愛】

陽光、白雲或雨水，
都由那裡漏下來。
有時候電影裡下雨，電影院裡也下雨；
眞是太有臨場感了……。

透天厝

在台灣聽朋友說「透天厝」，我總是不懂，直到自己在美國的房子開了天窗，才漸漸體會透天厝的道理。

「頭頂上能擁有一片屬於自己的天空，是多麼好的事！」或許這是直到近代，人們才有的感慨。過去誰沒有一間透天厝呢？甚至愈窮的人，愈會舉頭見天。

記得小時候常去的一家電影院，裡面燈光一暗，就淸淸楚楚地，看見屋頂上的破洞，陽光、白雲或雨水，都由那裡漏下來。有時候電影裡下雨，電影院裡也下雨，眞是太有臨場感了。只見人們躲來躲去，四處換位子，甚至有人撐起雨傘，引來一陣叫罵。

聽來多像笑話，但有什麼比這更生活、更童年，也更眞實的呢？

當然，也有那建造豪華，卻眞透天的房子。其中印象最深的，是羅馬的萬神殿，直徑一百四十二呎，能容納上千人的大殿，居然沒有一根橫樑。四周弧形的石造屋頂，一齊向中央聚攏，簇擁著一片小小的天窗。

初入神殿時，眞被那偉大的景象震驚了，只見一條細細的光柱，由屋頂斜斜射入，下面的人們，居然沒有一個敢跨入那片光柱中。大家繞著光柱行走，仰面向天禮讚。

才知道陽光是如此莊嚴而神聖，走在一片朗朗的陽光下，有誰會禮讚？倒是那透天神殿中，一道跟外面同樣的陽光，能引起如此的感動！

於是我自己擁有的天窗，就愈發引得遐思了。

裝天窗，竟出於台北朋友的建議：

「能住平房，多好！而今在台北，有幾人住得起透天厝？要想透天，先得通過樓上鄰居們的脚底，你能自己擁有一片天空，還不好好享受一番!?」

不過兩日，天窗就裝成了。那是一個四呎乘四呎的方窗，預先訂製好，只須在房頂鋸個洞，把窗子放下去，外面補上柏油，裡面略加粉刷，就完工了！

於是我搬了一把躺椅，放在天窗下。坐著看立窗外的風景，仰著看天窗外的雲煙。

「佛要金裝，人要衣裝，畫要裱裝」原來天空也要裝框，才來得美！透過天窗，天就成了活的圖畫，而且經過不斷的剪裁，隨時展現令人驚訝的巧思。

成片的藍、成縷的銀、成團的白，即或一片灰濛濛的雨天，也有她特別的韻致。尤其是起風的日子，樹葉成群地掠過，一下子貼上窗玻璃，突然又被吹去，加上逆光看去的剔透，這天窗竟成了個忒大的萬花筒！

即使在夜裡，天窗也是美的，尤其是剛裝好不久，有一天踏入畫室，沒開燈，卻見一片藍色的光華，團團籠罩在我的躺椅四周，舉頭望，竟是一輪滿月，使我想起尤蘇拉安德絲演的「苦戀兩千年」，裡面能使人千年不老的「月之華」，那冷冷的月之火焰！

但是，妻反愛那冷雨淒清的夜晚：「這天窗是不必看，卻能聽的！你聽雨打在天窗玻璃上的聲音像什麼？」

「像打在童年日本房子，窗前油毛氈的雨棚上！」

「像落在小時候窗前的芭蕉葉上！」

【家園之愛】

前生會否還有前生？
愛人之前是否還有更愛的人？
如同我那位朋友，半夜從妻子身邊醒來，竟喚著他前妻的名字……。

半睡半醒之間

遷入新居第一天的深夜，十七個月大的小女兒突然爆發出哭聲，像是山崩地裂般地一發不可收拾。遞奶瓶、送果汁、用盡了方法，還是無法和緩，一雙眼睛驚惶地看著四周，拼命地拍打、掙扎！

妻和我都慌了，是不是要打電話給醫生？會不會哪裡疼，又不會說？

「你肚子痛嗎？」我盯著孩子掙得通紅的小臉問。

猛搖頭，還是號哭不止，突然從哭聲中冒出兩個字：「外外！」

「要上外外是不是？」總算見到一線端倪，二人緊追著問：「可是現在天黑黑，明天天亮了，再上外外好不好？」

「不要！不要！外外！」小手指著臥室門外，仍然哭鬧不止。

「好好好！上外外！」

可是抱到外外，站在漆黑的夜色中，小手仍然指著前方，只是哭聲減弱了，不斷喃喃地說：「家家！」

「這裡就是家啊！我們的新家！」眼看一家人，全被吵醒走出來，我指著說：「你看爸爸、媽媽、奶奶、公公、婆婆，還有哥哥，不是都在嗎？」

哭聲止了，一臉疑惑地看著衆人，又環顧著室內。

「還有妳的玩具！」奶奶送來小熊。

接過熊，娃娃總算精疲力竭地躺在媽媽懷裡，慢慢閉上眼睛。

只是第二夜、第三夜，舊事又一再重演。

爲什麼白天都玩得高高興興，到夜裡就不成了呢？必是因爲她睡得模模糊糊，張開眼睛，還以爲是在老家，卻又大吃一驚，發現不對，於是因恐懼而哭號。

那初生的嬰兒或許也是因爲每次醒來，發現身處的不再是熟悉了十個月的房子——媽媽的身體裡面，而啼哭不止吧?!如果他們會說，一定也是：「家家！」

於是我疑惑：什麼地方是我們記憶中眞正的家呢？

每次旅行，半夜或清早醒來，總會先一怔：「咦!?這是哪裡？」

然後才啞然失笑，發現自己「夢裡不知身是客！」

李煜離開家國北上，半夜醒來，先以爲猶在「玉樹瓊枝作煙蘿」的宮中，然後才墜入現實，怎能沒有「身是客」的感傷!?只是那「客」，既沒有了歸期，還稱得上「客」嗎？

每一塊初履的土地，都是陌生的，都給人「客愁」；而當那塊土地熟悉了，這客地，就成爲家園。

只是如果一個人，像我的母親在大陸三十多年，到台灣三十多年，又住美國十幾年，在她的心中，什麼地方是客？何處又是主呢？

「兒子在哪裡，哪裡就是主。」老人家說：「所以每次你回台灣，我就覺得在美國做了客！你回美國，我的心又落實，成了主！」

於是這「鄉園」與「客地」，竟不在於土地，而在於人了。怪不得十七個月大的娃娃，要看見一家人，又抱到自己的玩具熊之後，才會有「家」的安心！

但家又是恆常的嗎？

有位女同事新婚第二天說：

「多不習慣哪！半夜醒來，嚇一跳！身邊怎麼睡了一個人？噢！想了一下，原來是丈夫！」

妻也說得妙：

「你每次返台，我先還總是睡半邊床，漸漸佔據一整張，偏偏這時你回來了，於是又讓出半邊給你。眞有些不習慣！」

更有個朋友出件糗事，居然再婚三年多了，半夜醒來，叫自己枕邊人前妻的名字。「這有什麼辦法？跟前妻睡了二十年，跟她才三年多啊！」他自我解嘲。

這下子，我就更迷惑了！莫不是有些古老的記憶，也會在半睡半醒之間呈現？那迷糊的狀態，難道就像是被催眠中，可以清晰地回憶起，許多在白日完全遺忘的往事？

順著這個道理去想，我便做個嘗試，每次早晨醒來，先不急著睜眼，讓自己又浮回那半睡眠的狀態，並想像不是躺在現實的家，而是初來異國的那棟紅屋、來美之前的舊宅，甚至更往前推，到達高中時代的小樓、童年時期的日式房子。

我閉著眼睛，覺得四周全變了。一下子浮進竹林、一會兒搖過蕉影，還有成片的尤加利樹，和瘦瘦高高的檳榔，我甚至覺得一切就眞眞實實地在身邊，可以立刻坐起身、跳下床，躍過榻榻米，拉開紙門，走過一片涼涼的地板，再拉開玻璃門，站在階前，嗅那飄來的山茶花的清香，和收拾昨夜辦「家家酒」的玩具！

多麼美妙的經驗哪！在這半睡半醒之間，我甚至浮回了最早的童年，那不及七里香高的歲月。我想，說不定有一天，我會懸身在一片流動的液體之間，浮啊！盪啊！聽到那親切的、規律的、咚咚的音響，那是我母親的心音……。

我也想，有一天自己離開這個世界，會不會也像做了一場夢，在另一個現實中醒來？那麼，我寧願不醒，閉著眼睛，把自己沈入記憶的深處，回到我的前生。

只是前生會否還有前生？愛人之前是否還有更愛的人？如同我那朋友半夜醒來，竟喚著他前妻的名字？

我更疑惑了！迷失在這半睡半醒之間……。

作者年表

劉墉，號夢然，祖籍北平市。

一九四九　生於台北。

一九五八　父親逝世。

一九六二　家中失火，夷為平地。母子二人於廢墟間築一草房以棲身。

一九六四　入臺北成功高中，獲全省學生美展教育廳長獎。

一九六八　以第一志願，進入師大美術系。

一九七〇　主演「紅鼻子」（又名快樂的人）舞臺劇。

一九七一　獲中國新詩學會頒「優秀青年詩人獎」。
獲話劇欣賞演出委員會頒「金鼎獎」。獲師大學生最高榮譽「進德修業獎」。
與師大同學畢薇薇結婚。

一九七二　獲師大師生美展國畫第一名教育部長獎。
「聽蜀僧濬彈琴圖」由國立歷史博物館選送第八屆中日美術交換展。
主演「武陵人」舞臺劇。應聘為成功高中美術教師。
育子劉軒。

一九七三　主持中視益智節目「分秒必爭」。
應聘爲中視新聞部記者。應聘爲師大噴泉詩社指導教授。
出版「螢窗小語」第一集。
代表出席第二屆世界詩人大會。並與邱燮友教授聯合製導「中國詩之夜」。
應歷史博物館邀請參加第二屆當代名家畫展。(此後數屆均應邀)

一九七四　應邀參加第七屆全國美展。(此後數屆均應邀)
應聘爲淡江吟燈詩社指導教授。
獲中山學術文化基金會獎助出版「螢窗小語」第二集。
應歷史博物館邀請參加中國名家美國巡迴展。

一九七五　應邀參加中國名家日本巡迴展。
獲中山學術文化基金會獎助出版「螢窗小語」第三集。
舉行首次個展。(此後在國內個展四次，國外至八九年共三十餘次。)
畫作入藏中正紀念堂。

一九七六　製作中視「時事論壇」節目，獲金鐘獎。出版「螢窗小語」第四集。
「螢窗小語」由國防部選印爲國軍官兵優良讀物。獲國防部榮譽紀念狀。
與周澄、林千乘、李義弘、涂璨琳合組西窗雅集畫會。

一九七七　出版詩畫散文集「螢窗隨筆」。

獲綜合電視週刊選爲「最受歡迎電視記者」，旋即辭去中視記者工作。
畫作入藏國立歷史博物館。

一九七八　由行政院新聞局及國立歷史博物館推薦前往美國講學。
出版「螢窗小語」第五集。
應聘爲維州丹維爾美術館駐館藝術家，並於全美各地展出。
應聘爲中視駐美代表。

一九七九　入紐約聖若望大學東亞研究所。應聘爲聖若望大學兼任中國畫指導教授。
出版譯作「死後的世界」。
出版「螢窗小語」第六集。

一九八〇　出版與西泠教授合著之「牡丹芍藥畫譜」。
應聘爲聖若望大學專任駐校藝術教授。

一九八二　離臺四年後首次返國。
出版「春之頌」。出版「螢窗小語」第七集。
出版詩畫、散文、小說集「眞正的寧靜」。

一九八三　出版「花卉寫生畫法」。(中英文版)

一九八四　出版「山水寫生畫法」。(中英文版)
獲全美中華婦女聯合會頒傑出貢獻獎。

一九八五　幽默散文集「小生大蓋」由皇冠雜誌社出版。
一九八六　出版「翎毛花卉寫生畫法」。(中英文版)
　　　　入哥倫比亞大學博士班，主修藝術教育。
一九八七　出版散文集「點一盞心燈」。出版「唐詩句典」。出版小說散文集「薑花」。
　　　　應聘為全美水墨畫協會年展全權主審。
一九八八　出版從黃君璧教授多年研究完成之「白雲堂畫論畫法(中英文版)」。獲太平洋文化基金會獎助。
一九八九　出版從林玉山教授多年研究完成之「林玉山畫論畫法(中英文版)」。獲太平洋文化基金會獎助。赴中國大陸旅遊寫生。
一九九〇　出版小說散文集「四情」。出版散文集「超越自己」。
　　　　育女劉倚帆。
一九九一　出版散文集「創造自己」。出版散文集「紐約客談」。
　　　　出版「劉墉畫集」。舉行八年來首度國內個展。
　　　　再赴大陸黃山寫生。
　　　　移居紐約長島。
　　　　應有熊氏藝術中心邀請舉行「黃山歸來」個展。
　　　　出版散文集「愛，就注定了一生的漂泊」。出版散文集「肯定自己」。

劉墉的作品

螢窗隨筆

同時醉心於繪畫與詩文的劉墉，以四十篇詩和散文，配合七十幅畫，展現了他從十八歲到二十八歲之間的心靈世界。既可以做爲文學小品閱讀，又能夠當作畫册欣賞。

二十五開，二百零八頁，八十磅上質道林紙平凹版精印，穿線裝。

平裝本定價一四〇元。

眞正的寧靜

三十七篇詩、散文、小說和五十幅山水、花卉、翎毛作品，交織成另一片詩中有畫、畫中有詩的境界，也展示了劉墉赴美之後作品的新面貌。

二十五開，八十磅上質道林紙平凹版精印，二百二十四頁，穿線裝。

平裝本定價一四〇元，精裝本定價一八〇元。

點一盞心燈

這本書裏收集了一百多個小故事。有親情、有戰爭，有人世的虛僞與眞實，也有人生的歡愉與苦悶。它是社會的縮影，展示給你形形色色的人物，告訴你成功之路。它更是人生的縮影，啓示你生命的意義，爲你點一盞心燈！

三十二開，八十磅道林紙，二百五十六面穿線裝訂。

平裝本定價一三〇元。

薑花

薑花是劉墉第一本以小說爲主的集子，在二十二篇散文和小說中，透過流落日本的老藝人、求學異鄉的遊子、燈下彈劍的少年……述說另一種感覺與鄉愁。

三十二開，七十磅印書紙，二百七十二頁，穿線裝。

平裝本定價一三〇元。精裝本定價一六〇元。

唐詩句典 **寫作及繪畫者必備的工具書**

相信您一定有這樣的經驗：

當您寫作時，想引用以前讀過的詩句，却只能想起一半；縱使勉強想起，又不十分確定；再不然則是忘了詩人的名字。

當您畫好一幅畫，找不到題畫的詩句，想引述古人的句子，却遍尋而不可得；想自己創作，又苦無靈思。到頭來發現作畫不難，題詩却比什麼都苦。

現在，您不用操心了！只要打開唐詩句典，找到您想查考的類別，就會發現有成百相關的古人名句呈現眼前。您可以憑著記憶中模糊的幾個字，便找出整首詩，更可以因而尋到作者。

以唐詩三百首爲基礎，歷經十二年的分析編類，將詩句以「聯」爲單位，分爲一百零八項、一百二十類。雷射電腦排版，八〇磅道林紙PS版精印，二十五開本，六百頁，穿線平裝，定價四〇〇元。

翎毛花卉寫生畫法

以科學的方法，介紹孔雀、鴛鴦、魚狗、錦鷄、藍鵲、大雁、麻雀、鸚鵡、野鴨、鴿子、猫頭鷹、鶺鴒、藍綬帶、白鷺等二十種鳥和菊花、蝴蝶蘭、荷花、大岩桐、扶桑、大理、海棠、葡萄、阿勃勒等十八種花卉的畫法，既保存了傳統國畫的筆墨韻趣，更表現了生靈活潑的自然生態，從解剖分析、工具、材料，到調色用筆的斜度過程，都以彩圖表示，即使完全沒有學過的人，也可以按部就班地入門，且不致落入因循套公式的窠臼。

大菊八開，一百九十二頁，彩色圖版一百一十六頁，一百五十磅雪銅精印，穿線精裝，附加書衣、套盒及郵寄護盒。

定價一二〇〇元。

白雲堂畫論畫法 黃君璧繪述・劉墉編撰

這是一本必將進入中國美術史的書，也是黃君璧大師致力繪事七十多年來唯一一本教畫的書，將他畢生的繪畫經驗、理論與祕法傾囊傳授給您。榮獲總統府資政張羣先生頒題。國立故宮博物院院長秦孝儀先生、國立歷史博物館前館長何浩天先生、陳癸淼先生、臺北市立美術館館長黃光男先生撰序。

內容由淺至深，從選用工具應注意的事項，各種樹石皴法、雲水雨雪的表現，到題款蓋章、點景構圖，均附全頁示範作品分析，將大師畫法的精奧處展現，足供初學者循序入門及專業畫家參考。大菊八開，一五〇磅雪銅，二百零八頁，彩色及特別色多次套印圖一百零三面，穿線精裝，外加書衣套盒及掛號郵寄護盒。定價二〇〇〇元。

劉墉山水寫生畫法

本書章節與白雲堂畫論畫法完全呼應，讀者若能二書合用，以黃大師畫法與本書之實景分析相參照，必能收事半功倍之效。

爲了證明國畫中每一種葉點、皴法，都是古人從寫生得來，也爲了使臨摹者能了解傳統技法與自然景物的關係，更可以說爲中國山水畫「尋根」，作者以十二年的時間，遊歷歐美亞諸國蒐集資料，寫成這本「山水寫生畫法」。內容由淺入深，從攝影圖片、繪畫理論乃至基本技法、用筆過程，保證可以做爲初學者的入門書及專業畫家的參考。

大菊八開，一百八十四面，彩色圖版七十幅，一五〇磅雪銅精印，穿線精裝，外加書衣、套盒及郵寄護盒。定價一二〇〇元。

林玉山畫論畫法 林玉山繪述・劉墉編撰

這是林玉山大師致力繪事七十年來唯一一本教畫的書。內容由淺至深，包括：林玉山畫法特色、迴環動勢的構圖法、鳥的各種表情、鳥喙及脚爪、泰國寫生、虎的不同表情及畫法、鳶、隼、鷹、白鶴、斑鳩、龍、夜鷺、麻雀、醉芙蓉、野鴨、環頸山雉、鬥鷄、松鼠、梅花、猫頭鷹、鹿、喜鵲、猴、鴛鴦、鐵力士雪山、小桂林、夜莎山瀑布等共一百九十三圖、十萬言中英文解說。

全本彩色印刷，大菊八開，二〇八面，一五〇磅雪銅穿線精裝，附書衣套盒（上下包布料），以特製護盒掛號郵寄。定價一二〇〇元。

四情 劉墉散文的代表作

在這本厚達三百頁的書裡，有劉墉翰墨因緣的感懷、田園生活的吟詠、羈旅天涯的鄉愁。是由絢爛轉爲樸質，由喧囂歸於寧靜的告白。平實典雅、悠然淡遠，無一絲煙塵氣！

三十二開，七十磅印書紙，穿線裝。定價一四〇元。

超越自己

劉墉繼螢窗小語及點一盞心燈之後又一力作

在紐約曼哈頓有一所全美最著名的史岱文森高中（Stuyvesant High School），裏面都是通過嚴格考試才擠進去的「各族菁英」，今年西屋科學獎第一、二名全由那裏的學生獲得，單單入圍準決賽的，就佔了全美國的百分之十六。

但是史岱文森也不是好混的地方，智商一四〇是平常的事，做功課到一、兩點鐘也是當然，在近百年老舊的建築中，一羣頂尖老師的壓力下，學生們必須找尋自己生存的空間、抗拒毒品的誘惑、面對無數的挑戰，更有許多人必須每天搭乘三四小時的巴士、火車、地下鐵、穿過惡名昭彰、凶殺、搶刼、強暴犯出沒的地區，到史岱文森上課。

這本書就是一個中國教授，在他的獨子考入史岱文森第一年，寫給那個怯生生年輕人的一系列信，教導他怎樣面對艱險橫逆的環境和未來的挑戰，教他怎樣發揮潛能、超越自己！

三十二開，二五六頁，八十磅道林紙平凹版精印，穿線裝訂。平裝本定價一四〇元。

創造自己

超越自己的姐妹作

上帝創造了我們，我們則當創造另一個自己。

創造自己的風格，創造自己的前途！創造自己的自己！

任何表面看來平凡的人，都有異於別人的不平凡處。只要你認淸這一點，把自己特殊而有利的條件發揮出來，就能成功！

在這本書中，教你如何克服先天的惰性，發揮自己的潛能，創造個人的風格！

三十二開，二五六頁，八十磅道林紙平凹版精印，穿線裝訂。平裝本定價一四〇元。

劉墉畫集

在這本長三十二點八公分、寬二十三點七公分，厚達一百九十餘頁的畫册中，收集了劉墉過去二十三年間的山水、花卉、翎毛代表作一百二十七張，全部整頁彩色印刷，並加細部放大及中英文畫法說明，不僅可以欣賞，並見出劉墉繪畫技法及創作的心路歷程，更可供習畫者臨摹參考。限印四千本，全部由劉墉親筆簽名、編號，是最佳的藝術收藏品。超大菊八開，一百五十磅特製雪面銅版紙精印，穿線精裝，外加書衣、套盒及郵寄護盒。定價一五〇〇元。

螢窗小語選集 劉墉的成名代表作

本書是螢窗小語前三集的精華，經劉墉增刪、校訂、更改版本、重新編排，並配插圖，更見精美。

三十二開，穿線裝，近五百頁，六十磅道林紙，沈氏藝術印刷公司平凹版精印。定價二〇〇元。

紐約客談

紐約客談是劉墉以紐約經驗寫成。其中有天馬行空，闊談生死愛恨的「奇想」；有筆調輕鬆，褒貶社會情況的「現代症候群」；有實例生動，討論家庭教育的「吾家有子初長成」；有羈旅天涯，感懷無限的「異鄉人」！

新二十五開，穿線裝，二二四頁，七十磅象牙道林紙沈氏精印。定價一三〇元。

郵撥照定價九折優待。若須掛號，請另附郵資。購書四本以上，一律掛號寄書。郵撥一五〇一三五一五號水雲齋文化事業有限公司。或電(〇二)七四一五二六六查詢。

ISBN 957-97001-5-X

愛就注定了一生的漂泊
作者：劉墉
發行人：劉墉
出版者：水雲齋文化事業有限公司
地址：臺北市忠孝東路四段三一一號五樓之五
電話：(〇二)七四一五二六六
郵政劃撥：一五〇一三五一五
登記證：局版台業字第伍零零貳號
總經銷：吳氏圖書有限公司
地址：臺北市和平西路一段一五〇號三樓
電話：(〇二)三〇三四一五〇
電腦排版：上統電腦排版事業有限公司
印刷：沈氏藝術印刷公司
地址：台北縣土城鄉中央路一段三六五巷七號
定價：平裝一五〇元
出版：中華民國八十三年十二月

一年八班26号張瑋倫